マレーシアを読み解く46題

知られざる我が国との縁

上東輝夫 著

公益社団法人
日本マレーシア協会

はじめに

上東輝夫先生と本協会との縁は、先生が在コタキナバル日本国総領事をされていた一九九七年、本協会の親善使節団として、当時会長をされていた塩川正十郎先生を団長にサバ州を訪れた際に、総領事としてサバ州視察や州政府要人との面会等にご尽力頂いたことに始まります。

その後、先生が外務省を退官され、名古屋商科大学教授になられた後、再びご縁があり、本協会の監事にご就任頂き、二〇一八年度まで本協会の運営に対しご指導を賜りました。

その間、監事として業務・会計の監査を頂くだけでなく、親善使節団へのご参加、青年海外研修でのご講演など、本協会活動へご参画され、今でもご協力を頂いております。

中でも、二〇一〇年から、本協会会報誌「マレーシア」へ定期的にご投稿され、広く社会に様々な情報や話題をご提供頂いてきたことは、本協会が二〇一二年に公益社団法人へ移行するにあたり、公益性を確保する一つの要因ともなりました。

この度、先生の格別なるご高配を得て、一〇年にわたるご投稿記事を取りまとめ、書籍として社会へご紹介する機会を頂きましたことを、大変嬉しく思います。

本書を通じて、日本とマレーシアの関係の奥深さを多くの方々が知り得る機会を提供し、且つ、両国民の理解と更なる交流の促進に寄与することを祈念致します。

最後に、本書の出版にあたり、多大なるご協力を頂きました株式会社紀伊國屋書店へ、心より感謝の意を表します。

公益社団法人日本マレーシア協会理事長
小川孝一

目次

第二章　我が国と東マレーシア地域との関係　53

第三章　サバ州との奥行きを読む　81

＊各項表題の下に、会報誌『マレーシア』への掲載年月を記載。

関連地図

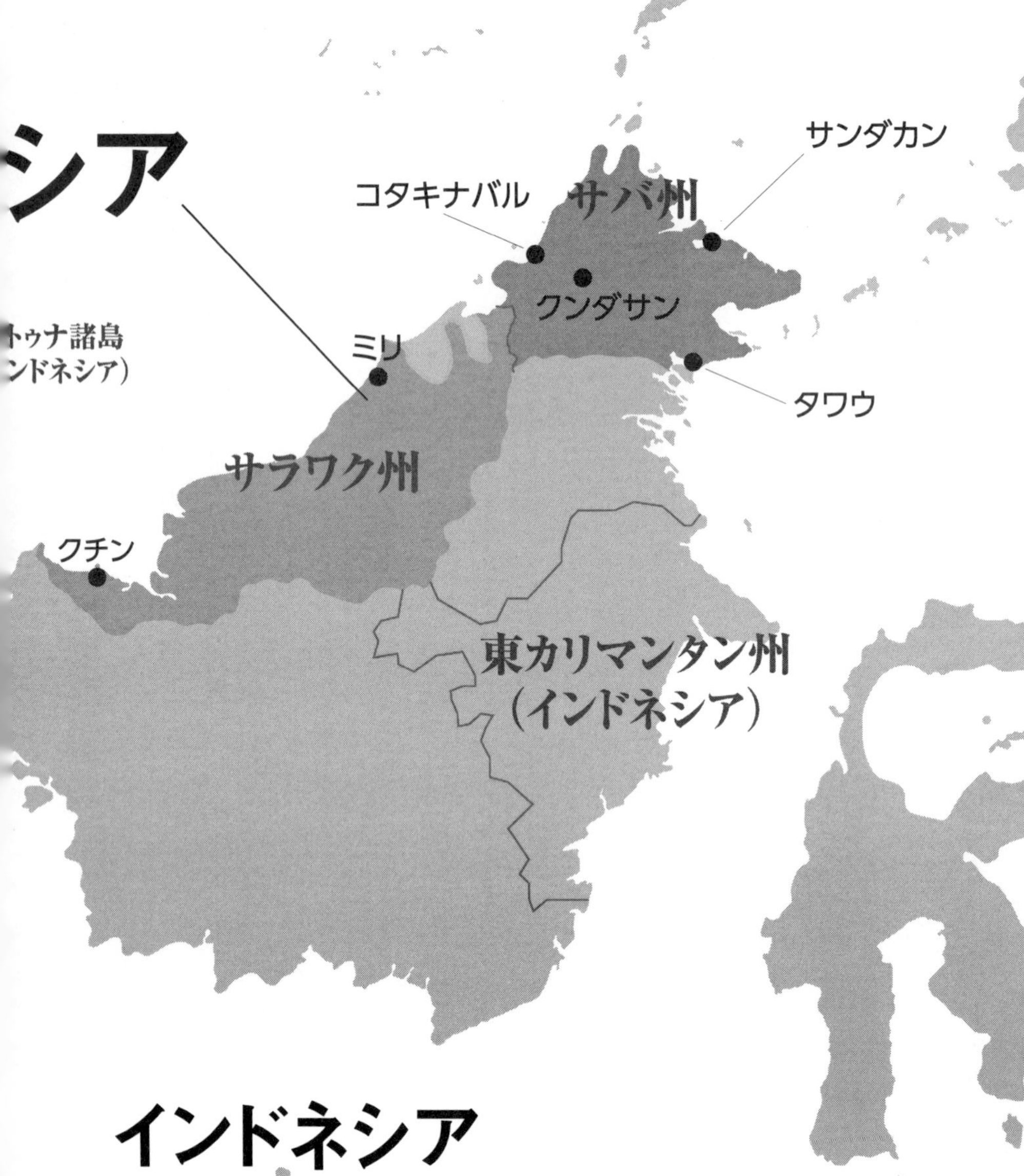
シア
サンダカン
コタキナバル
サバ州
クンダサン
トゥナ諸島
ンドネシア）
ミリ
タワウ
サラワク州
クチン
東カリマンタン州
（インドネシア）
インドネシア

マレ
トゥンパト
カメロンハイライド
クアンタン
クアラルンプール
バトゥ・パハ
ジョホール・バル
ジャカル

第一章　我が国とマレーシアの関係

島原の子守歌と安里屋ユンタ
―マレーシアとの縁の考察―

（二〇一二年五月）
島原の子守歌と『鬼の池ん久助どん』
読者の中には『島原の子守歌』の歌詞と曲はご承知の方も多い筈ではあるが、各地の地名を冠した子守歌も多いので、念のために第一節だけを記してみたい。
おどみゃ島原の　梨の木育ちょ
何の梨やら　何の梨やら
色気なしばよ　しょーかいな
はよ寝ろ泣かんで
おるろんぱい
鬼の池ん久助どんの
連れん来られるばい

さて、日本の殆どの子守歌が古い昔からの地方の伝承に基づく中で、意外とも思われるのは、『島原の子守歌』は、戦後の昭和二五年に島原鉄道専務であった宮崎康平氏が作詞・作曲したものであり、のちに古関祐士が編曲、島倉千代子が歌って広く世に知られるようになったとの経緯がある。

実は、筆者はボルネオ島と『からゆきさん』との関係資料を照合していく中で、『島原の子守歌』の歌詞末尾の泣く幼児を眠りに誘うお膳立ての『鬼の池ん久助どん』という字句が、今日のマレーシアを初め東南アジア地域と深く関わっていることを最近になって知った次第である。

即ち、『鬼の池ん久助どん』とは、一八八〇年代から一九一〇年頃にかけて、島原地方や天草地方の貧しい家庭の娘を人身売買の手口で『からゆきさん』として、島原半島の南端の口之津港及び口之津港の対岸の天草島の『鬼池港』から送り出した女衒の親方の仮称であったことである。

現在では、サンダカンの日本人墓地（所謂『からゆきさん』墓地）には『からゆきさん』の生地等を示す墓石は一基も残っていないが、クチンの日本人墓地の数基の墓石は『からゆきさん』の生地が島原地方や天草地方であったことを示している。

『からゆきさん』の悲劇が既に風化している現代の日本の社会では、『島原の子守歌』に読み込まれた『鬼の池ん久助どん』の字句は無縁に過ぎないかも知れないが、我々が何げなく聞き流す子守歌の字句の中に、島原地方と『からゆきさん』との関わりが伝えられていたのである。

安里屋ユンタと囃しの字句

筆者はボルネオ島と『からゆきさん』との関係の研究と並行し、沖縄からのボルネオ島への開拓移民の足跡も少し研究の対象にしてきている。

筆者の沖縄文化への関心は昭和四〇年から四二年まで沖縄那覇に勤務したことに発しているが（沖縄の本土復帰は昭和四七年）、この時の沖縄文化への思いから、昭和六一年にタイのチェンマイに勤務していた時期に、琉球舞踊団を国際交流基金の公演事業として東南アジア地域に派遣方を意見具申し、チェンマイ国立劇場での公演にも漕ぎ着ける経験をさせて頂いている。

さて、沖縄民謡や歌謡の中で我々に馴染みの深いものの一つが『安里屋ユンタ』であると思われるが、マレーシア関係者にとって興味深いのは、『安里屋ユンタ』の各節末尾の軽快な囃しのコトバ（伴奏）がマレー語であるとする説が巷間にあることである。

もともと、歌謡等の囃しのコトバは擬音や擬声を用いることが多いので、囃しのコトバの意味の詮索は意味をなさない場合も多いが、『安里屋ユンタ』の歌詞の本文は、沖縄方言（ウチナアグチ）ではなく標準語であるので、囃しのコトバが特段に関心を引いているのかも知れない。

『安里屋ユンタ』の六節全部の内の第一節だけを以下に記したが、囃しの部分は第二節以下も第一節と全く同じである。

サー君は野中の　いばらの花か
暮れて帰れば
やれほんに引き止める
マタハーリヌ　ツィンダラ
カヌシャマヨ
マタハリーヌ　ツィンダラ
カヌシャマヨ

この囃しの中のコトバがマレー語由来と指摘する向きは、『マタハリーヌ』が『マタハリ』（太陽）、『ツィンダラ』がチンタラー（愛する）の転化と読めるという点である（もっとも、マレー語由来を指摘する向きも、『カヌシャマヨ』については語源的な指摘はしていないようである）。

この点、筆者自身も囃しのコトバのマレー語説には若干の関心を持っていたので、沖縄を数年前に訪れた際に、沖縄県立図書館での資料照合と沖縄県観光協会や知人を通じての聞き取りを行ってみたことがある。

筆者が当時調べた範囲では、『安里屋ユンタ』の作詞者である星克氏自身は、『安里屋ユンタ』の作詞内容についての解説や記録を一切残していないことが分かったが、同時に、第三者の囃しコトバのマレー語説を裏付ける論評の類いも見つからなかったという次第であった。

従って、『マタハリーヌ』と『ツィンダラ』がマレー語由来の語句であるとする説には、作詞者との関係からは実証的な根拠は全くないようである。

マレー語音韻との偶然の近似と見るべきか、他方において、作詞者のひらめきの中には、マレー語との関連が全くなかったとも言い切れない訳である。

あまり要領を得ない結論で恐縮ではあるが、沖縄発の現代歌謡に流れる大きなテーマの一つが太陽（ティダ）と風（カジ）であることを思う時に、『マタハリーヌ』（太陽の）のマレー語説にも興味が沸いてくる。

なお、マレー語説との関連で参考までに記せば、夏川りみさんのレパトリーの一つである『楽園～マカル・サリ』の『マカル・サリ』は正しくインドネシア・バリ島語であり、『マカル』は「花開く」、『サリ』は「花」の意である。

マレーシアの邦人の事跡と知的共有文化財としての保全
―モニュメントとインパクト―

（二〇一二年七月）

観光業界には『モニュメント ツーリズム』という用語があるが、中国南京やハワイ州真珠湾の歴史的事件に関わる展示施設を訪れた邦人旅行者の中には、複雑な感想を持たれた方も多いかと推測する。建立・管理者側の意図は想像に委ねるとしても、内外の見る者それぞれに心情的インパクトを残すモニュメントであることは確かである。

本稿では、サバ州の邦人が歴史的に関わるモニュメントの事例とサラワク州の邦人の新旧二つの事蹟の現状を紹介すると共に、日本・マレーシア両国の『知的共有文化財』の保全と問題点についても考えてみたい。

サバ州のモニュメントの事例

①サンダカン英豪軍捕虜戦没者慰霊公園

サバ州観光振興公社のサンダカン市内案内地図を見ると『戦没者慰霊公園』と記された場所があるが、英国と豪州の在郷軍人会などが一〇数年前に建立した英・豪軍捕虜慰霊公園である。

一九四五年一～六月、日本軍の作戦命令によりサンダカン英豪軍捕虜収容所から目的地ラナウまでの約三〇〇キロメートルを徒歩移動の途次に死亡した捕虜とサンダカンの残置捕虜死亡者の一六〇〇名の霊が弔むらわれている（ラナウの慰霊塔と墓地は戦後間もなく建立）。

サンダカンの慰霊公園展示館の『死の行進』の展示物や遺品の説明文には遺族などの心情が生々しく強烈に表

現されている。ここは、加害者への怨恨感情が太平洋戦争から六〇数年の時を経ても消えてはいない空間であるが、邦人の参観者には厳しい心情的インパクトが残るモニュメントになっている。

②タワウ市役所の古い時計と邦人道路名

サバ州人口第二の都市であるタワウ市の市役所の前庭には古い時計台があるが、タワウの邦人開拓者集団が一九一八年に当時の北ボルネオ英国総督府に寄贈したものである。太平洋戦争末期の戦火で市内がほぼ灰燼に帰した中で奇しくも残ったあと、タワウ市役所が今日まで丁寧に管理し使用してきたものである。

また、このタワウ市内には、戦前の開拓に貢献した邦人名と本邦企業名を冠した道路が五本もある。その道路の一つであるJalan Kuhara（久原通り）はタワウ国際空港と市内中心部を結ぶ幹線道路である。世界の各都市の中でも、邦人の個人名や本邦の企業名が道路にかくも多く命名されている事例は皆無の筈である。

タワウ市には、邦人が寄贈し市役所が大切に管理してきた『時計台』というモニュメントと道路名に示されたタワウ市民の邦人開拓者への『心情』というモニュメントの二つがあると言えよう。

サラワク州に残る邦人の事蹟

他方、サラワク州の邦人の関わる以下に記した二つの事蹟は、モニュメントとインパクトの関係とは別の視点から見る必要性を、我々に促しているように思われる。

その一つの例は、サマラハン区の農村地帯の一角にある日沙商会が一九二〇（大正九）年六月に建立した『依岡神社』の鳥居と神殿（社）である。依岡神社の位置（ブキタンボイ）は、日沙商会のサマラハン農園の一角、かつ、邦人ゴム園入植者の集落とも接した地点であったことが記録資料から読み取れる。

鳥居の現況は、農道から少し奥まった華人系所有者の土地内に位置しているので、農道からは腐食や老朽の状況を正確に把握することは難しいが、望見しただけで明らかなことは、鳥居が建立された当時の紅色は既に脱色して黄白色に変容している。

なお、鳥居の奥の少し小高い所に位置する筈の神殿は、前面に高い樹木があるために残存の有無は確認できないが、一部の在留邦人には壊滅していると見る向きもある。

往時の邦人経営ゴム園の集落には、老朽化は進んでいるも、生ゴム製造所や邦人の住宅が残存し（住民が居住している家屋もある）、また、邦人所有者の船積用倉庫敷地跡と判断されるマレー語の表示銅版も草地に残されている。

もう一つの例は、クチン近郊の森林公園の一角にある『広島―サラワク友好庭園』である。茶室も備えた立派なこの庭園は、広島県が一九九七年に完成し九九年七月にサラワク州に寄贈が行われている。残念なことには、日本庭園入り口の門は構造的に閉鎖されて見学者は誰もいないのが近況である。茶室の部分的な腐食や庭園の荒廃が閉鎖の理由と推察される。

サラワク州に既に寄贈した施設の管理状況について言及するのは適切ではないのかも知れない。だが、寄贈者である広島県の友好親善のための善意を思うと、また、年代的にも新しい故に、極めて惜しまれる状況にあることは確かである。

『文化遺産―知的共有文化財』としての保全

実は、筆者がサラワク州の邦人が関わる事蹟（足跡）の現況事例を紹介しつつ戸惑いを感じていることは、事蹟の保全に対する日本人自身の関心の有無である。

マレーシアの国土には、保全されていない邦人が参画した事蹟は検証すれば幾つも存在する筈であるが、筆者は、先達の邦人が残した事蹟は日本の『文化遺産』であると共に、マレーシアとの『知的共有文化財』であると思っている次第である。日本人の歴史の証しであると同時に、両国国民の間の交流の証しでもあるからである。

だが、モニュメントとしての保全実行には難しい点があることも事実である。即ち、モニュメントとしての修復保全と管理の義務を負う主体が存在していないことである。

従って、我が国の在外公館、行政法人、企業、日本人会や個人などが、それぞれの立場で理解・連携しモニュメントとしての保存にイニシャチブを取らない限りは、邦人に関わる事蹟は放置されたままで早晩朽ちることは必定である。

邦人の建立に関わる『文化遺産』の保全については、日本人墓地や戦没者慰霊碑の管理保全と同様な受け止め方を期待することは難しいとは思うが、マレーシアとの関係に携わる邦人の間で理解が醸成されることを期待したい次第である。

＊（後記）広島・サラワク友好庭園については、その後程なくして、茶室の畳表の張替えや庭園の手入れが行われ、地域住民や観光客に利用されてきていることを付記しておきたい。

我が国とマレーシアとの時差
―東南アジア地域の地理と歴史の理解が重要―

（二〇一三年一月）

興味深い我が国とアジア地域諸国との時差

我が国とマレーシアとの時差が一時間であることは、マレーシアへの邦人渡航者が最初に気を留める事柄であるが、この点は、海外渡航に伴う即応的な知識の一つになっているようである。

他方、我が国とマレーシアとの時差が上海、香港、台北、高雄と同じ一時間であることと、タイ、ベトナム、カンボジアやラオスとの時差が二時間であることとを対比し、不思議に思われている向きも多いかと推測する。

本稿は、我が国とマレーシア及び他の東南アジア諸国との時差についての参考となる諸点を記したものである。我が国とマレーシア及び他の東南アジア諸国との関係の理解の一端に資することがあれば幸いである。

東南アジア地域諸国との時差と旅行ガイドブック

筆者は東南アジア地域論を専門分野にしてきてはいるが、実のところ、本稿執筆の前までは、我が国で刊行されている東南アジア地域についての旅行ガイドブックは殆ど見たことがなく、従って、旅行ガイドブックの時差についての記述内容についても、全く知らなかった次第である。

ところが、昨年、筆者が何回か講師を務めた東南アジア地域の事情についての講演会の質問の時間において、参加者からの質問が比較的に多かったのが、意外にも、冒頭記述したような我が国と東南アジア地域各国との時差との関連であった。

質問をされた方によると、旅行ガイドブックには、標準時間や時差のことは詳しく記されていないとのことであった。

筆者が今回、改めて邦人外国旅行者が参照されると思われる旅行ガイドブックを数冊見て分かったことは、時差については、我が国と当該国との間の時差の時間数だけが記されている程度であり、東南アジア地域各国との時差を比較し説明した記述は全く見られなかったことである。

筆者が講師を務めた講演会で時差についての質問が意外に多かった理由の一つが、正に『これだ』と思った次第である。

我が国とマレーシアとの標準時時差

さて、マレーシア標準時は「マレーシア標準時一九八一年法律』（法律第二六一号）には『グリニッチ標準時間から＋八時間とする』と定められているが、マレーシア標準時経度についてはは記されていない（なお、付記すれば、一九九二年の閣議において、マレーシア計測庁が標準時間を管理することが定められている）。

他方、我が国の標準時経度は東経一三五度（子午線表示地点は兵庫県明石市）、また、我が国の標準時は『グリニッチ標準時間から＋九時間とする』と定められている。

従って、我が国の『＋九時間』とマレーシアの『＋八時間』の標準時の差が両国の時差の一時間になっている。

以上の説明で時差一時間の理由は明確になるが、マレーシアの標準時経度との関係について知りたいとの向きも多いようである。この点については、天文計測では、経度一五度が一時間であることが参考になると思われるが、『グリニッチ標準時から＋八時間とする』を天文計測に単純に当てはめると、マレーシアの標準時経度は東経一二〇度になる。仮に東経一二〇度とすると、我が国の標準時経度の一三五度から一二〇度を引いた一五度の経度差が、我が国とマレーシアとの時差一時間に（当然に）合致することになる。

但し、既述のとおり、マレーシアの関係法律には標準時経度は示されてはいないので、東経一二〇度というのは、筆者個人の天文経度からの仮想的な（imaginary）注釈に過ぎない。

なお、東西に国土が長いマレーシアで興味深いのは天文時偏差との関係である。コタキナバルとペナン島との間には約一時間の『日の出』及び『日没』時間の差異がある。

マレーシアの標準時と連邦の発足との関係

さて、マレーシアの標準時が『グリニッチ標準時から＋八時間』に定められた背景として最も参考になると思われるのは、マレーシア協定合意の時点（一九六三年）における標準時である。

即ち、当時のマラヤ連邦及び英国行政権下にあったマレーシア加盟予定地域のシンガポール、サバとサラワク及び直前に同協定参加を離脱したブルネイの全ての地域が、同一標準時の『グリニッチ標準時から＋八時間』であったことである。なお、マレーシア協定には加入しなかったブルネイと同協定から離脱したシンガポールの両国の現行の標準時も、マレーシアの標準時と同じく『グリニッチ標準時から＋八時間」である。

東南アジア地域の地理　歴史からの視点

翻って、海外植民地支配時代の英国がマレー半島・海峡部及びボルネオ島北岸地域の標準時を極東の上海や香港と同一の時間帯にしていたのは、筆者は、英国が地域の統治行政と交易関係や金融取引などを行う上での同一時間帯による利便性に基づくものであったと推測している。

また、同様に、往時の仏領インドシナ連邦時代のベトナム、カンボジアとラオスの三つの地域が同一の時間帯（グリニッチ標準時間から＋七時間）であったのは、宗主国フランスの連邦統治上の必要性に基づいていたことは明らかである。なお、ベトナム、カンボジアとラオスの現行の標準時は仏領インドシナ連邦時代と同様である。

なお、往時のオランダ領東インドでは、宗主国オランダは、統治領域が東西に長い広がりを持つことに対応し、東部時間（ニューギニア島西部）、中部時間（バリ島、セレベス島、ボルネオ島南部）と西部時間（ジャワ島、スマトラ島）の三つの地方標準時を設けていた。インドネシアの現行の地方標準時の地域区分も、正式呼称は別として、概ね往時の地方標準時区分が用いられている。

因に、今日の東南アジア地域で唯一の独立主権国家を維持したタイの標準時は、グリニッチ標準時間から＋七時間である。

真如（高岳）親王とジョホール・バルの供養塔

—平安初期の史実と幽遠の空間—

（二〇一三年三月）

ジョホール・バル日本人墓地と真如（高岳）親王供養塔

ジョホール バル日本人墓地（No.1142, Jalan Kubun Teh）には、高野山親王院が昭和四五（一九七〇）年一月に建納した真如親王供養塔がある。中川善教師が全ての材料を日本から輸入し、専門の石工が建工したものである（高さは二七〇センチ）。

本稿は、真如（高岳）親王（七九九〜八六六?）供養塔がジョホール・バルの地に建立されている所以と親王の死去の地を巡る幾多の論考との関係を紹介するものである。対象としている時代は、昨年のNHKの大河番組『平清盛』の時代よりも約二五〇年前の時期とご理解の上でお読み頂くと幸いである。

真如（高岳）親王の生涯

真如親王という呼び名は高岳親王の仏門帰依以後の僧籍名である。高岳親王は平城天皇（第五一代）の第三皇子であるが、八〇九年に嵯峨天皇（第五二代）の皇太子になっている。

歴史が波乱なく進めば次の天皇に即位する身分であったが、高岳親王は弘仁元（八一〇）年の『薬子の変』に連座し皇太子の身分を廃嫡されている（藤原薬子（クスコ）は平城天皇の側室。日本史で女性の名が付く唯一の『変』である）。

高岳親王は『薬子の変』のあと二四歳で出家し、真如法親王と名を改めて時の高僧であった空海（弘法大師）に仕えて真言宗を学んでいる。空海が入定したあと、仏道を極めようと貞観四（八六二）年に唐に渡り、高徳の僧について仏法を深めていた。

しかし、当時の唐では、真如親王が極めようとしていた仏教は既に衰退し、道教が主流になりつつあった。真如親王は仏法を極めるべく裁可を得て唐の威通六年、日本の暦で言えば、貞観七年乙酉の正月二七日に広州から船で天竺を目指している。

時に、親王は六七歳、旅に従った者は唐において親王の側に常に侍していた安展と円覚の二人の留学僧のみであった。

広州から船出をしたあとの真如親王の消息については、元慶五（八八一）年一〇月に朝廷に突如として唐から届いた『真如親王は西域に赴く途次、羅越国にて薨去された』との内容のみである。真如親王の死去の知らせは、親王が広州から天竺に向けて船出をしてから実に一六年を経ていたことになる。船出をしたあとの死去に至るまでの史実を証するものは全くなく、言わば、幽遠の空間になっている。

因に、平安時代の史書『三代実録』にも『真如親王は天竺への旅の途次に羅越国というところで遷化されたが、詳しくは不明』とのみ記されている。

唐書地理誌の内容と『羅越国』の位置比定の制約

では、『羅越国』（Luoyueguo あるいは Loyuehkuo）とは、実際にどの地域であったのであろうか。この問いを進めていく前に是非記しておくべきことがある。

当時の南海地域の状況を知り得る唯一の文字文献は『唐書』である。唐書には、旧唐書と新唐書の二つがあるが、いずれによるにせよ、唐代の漢語の高度な専門知識と古文書解読の熟達した経験を要する。従って、『羅越国』

の位置の比定論証に当たっては、多くの場合は所謂『孫引き』の知識に頼らざるを得ないことである。

もう一つは、論証する地域や地点の現在の地理地勢や呼称などが、唐書に記述されている時代とは大きく変わっているので、現在の状況との符合作業が難しいことである。

斯かる内在的制約が『羅越国』の位置の比定を難しくし、また、幾つかの異なった説がある背景になっている。

『羅越国』の位置についての各説

筆者が知り得る範囲では、真如親王の死去の地とされる『羅越国』という言葉が国民的に広く知られるようになったのは、昭和一七年二月二六日付報知新聞が掲載した藤本博道氏の『千百年前に御垂範 南方渡海の御魁 御終焉の地〝羅越国〟は何処。真如親王の死去の地を政府が一日も早く決定し発表することを望む』とする記事であった。

藤本氏の提言が太平洋戦争緒戦の日本軍の南方地域の占領に連動したものであったことは容易に想像されるが、記事の内容には、『羅越国』の位置は、スマトラ島の対岸、特に、ビンタン島リオ地区であるとの推論を掲げつつ、論点としてのラオス説とジョホール水道説とも比較考証した学問的な姿勢が貫かれている。

爾来、『羅越国』の位置については幾つかの異なった論証がある。マレー半島南部地域から海峡付近の島々を比定した説が多いが、今日のタイ国内の半島部に比定した説もある。また、前者の考証においても、今日のジョホール・バル州内、シンガポール島やビンタン島などの説に別れている。

因に、『ブリタニカ大百科事典』はマレー半島南部、『小学館・日本歴史大事典』は今日のシンガポール付近、また、『旺文社・日本史事典』は今日のラオスと記している。

真如親王供養塔建立への共感

以上纏々記したとおり、真如親王が死去されたとする『羅越国』の位置については、マレー半島南部から海峡部島嶼の範囲とする説が多いが、これらの地域とは地理的に相当異なる地域を比定した説もある。

顧みて、『羅越国』の位置について異なった幾つかの説が生じる背景は既述の通りである。『羅越国』の位置の比定は学問的には限りなく興味深いが、他方、何人をも納得させ得る位置の比定には高い壁があることも示されている。

他方、明らかなことが一つある。真如親王が死去されたのが天竺に向かう中国広州から遥かに遠い南海の地域であったことである。

筆者は、真如（高岳）親王の名前が一二〇〇年の時を経た今も日本史に深く刻まれている理由は、不遇に終わった皇太子の身柄と仏法を極める途次の『羅越国』での死去という二つの結び付きであると思っている。

この点、筆者は、真如親王の供養塔が広州から天竺に繋がるほぼ中間の地点、且つ、海に接するジョホール・バルの地点に建立されていることに共感を覚えるものである。

（なお、一般論ではあるが、日本人墓地の立ち入りには維持管理の都合と周辺の治安状況には留意される必要があることを付記しておきたい）。

『ルックイースト政策』の三〇年と確たる実績

―今後に望まれる新たな理念の包容―

（二〇一三年七月）

はじめに

昨年は『ルックイースト政策』（東方政策、ＬＥＰ）実施三〇年に当たっていたが、クアラルンプールと東京では、『ルックイースト政策』実施三〇年の節目を飾る式典やセミナーなどが幾つか開催されている。

顧みて、我が国では日・マ両国関係を語る際には、誰もが『ルックイースト政策』という語彙をシグネチャーフレーズの如く使ってきている感がある。

この点、『ルックイースト政策』の理念と近年の日・マ両国の国内事情の変化との関係や、将来の展望については、具体的に言及されたことは殆どないようである。

本稿は、『ルックイースト政策』を巡る以上の状況を念頭に置き、『ルックイースト政策』の理念と三〇年間の成果を振り返ると共に、『ルックイースト政策』下の近年の内的与件と外的条件の変化の動態を考察し、併せて、筆者個人の今後の『ルックイースト政策』に望む提案を記したものである。

『ルックイースト政策』と日・マ両国にとっての成果

改めて記せば、『ルックイースト政策』はマハティール首相（当時）が一九八二年二月にマレーシアの近代化の促進のための理念として提唱したものである。政策の内容としては、日本や韓国の近代化を手本として国民の教育と意識を改革し、経済発展を促進しようとするものである。

具体的には、『ルックイースト政策』は国費で日本や韓国に留学生と研修生を派遣し学問と技術を習得することだけではなく、労働規律、会社への忠誠心や労使間の協調などをマレーシアの企業に取り入れることや日本企業の協力を得て労働者の技術レベルの向上を計ることを目的としている。二〇一二年末現在、我が国に派遣された学生と研修生の累積数は約一万五千名に達している。

この間、マレーシアの経済社会は着実な発展を遂げている。GDPの一人当たり所得額(一九八二年の約六倍)、GDPに占める製造業の比率や都市部と農村部の所得格差の縮小などの各種の経済社会指標は、『二〇二〇』のイメージを予感させるものになりつつある。

同時に、この間の我が国から見たマレーシアとの経済関係も深化している。ODA供与額、貿易額や民間投資額などの絶対額の他、これらの実績は対マ関係各国との比較においても上位を占めている。因に、マレーシアへの本邦進出企業の数は約一四〇〇社に達している。

記述のマレーシアの経済発展と『ルックイースト政策』の寄与との関係を相関係数的に分析することは難しいが、『ルックイースト政策』がマレーシアの経済発展に直接、間接に寄与してきたことは確かなところである。

他方、我が国にとっても、『ルックイースト政策』がマレーシアとの経済関係を推進していく上でのエンジンの機能を果たしてきたことは論を要しないところであろう。

また、この間、『ルックイースト政策』の下で派遣された日本への留学生や研修生がマレーシア社会の発展と日系企業に寄与してきたことは広く知られているところであるが、同時に、『ルックイースト政策』はマレーシアの学術分野の深化と日・マ両国間の教育分野の交流にも寄与している。因に、二〇一一年六月一日に開校したマレーシア日本国際工科院(MJIIT)は、『ルックイースト政策』下での両国の緊密な連帯の成果である。

マハティール首相と『ルックイースト政策』の原点

顧みて、『ルックイースト政策』の原点は、マハティール首相（当時）個人の政治家としての信条に発している。信条の核心をなすものは、『イースト』の文化と『ウェスト』の文化は対等の価値を有するとの信念であるが、マハティール氏の信念の背景には次の二つの思いがあったと理解される。

その一つには、当時の多くのマレーシア国民の心情に重層していた英国・西欧文化への撞着に対し、アジア地域の日本や韓国という経済発展の著しい国を対極に置くことによってマレーシアの国民の意識を改革し、マレーシア国民としての自信を鼓舞しようとする思いがあったことである。

また、もう一つには、国際社会におけるマレーシアの存在感のアッピールと外交分野でのマレーシアの自主性の主張が込められていたことである。

『ルックイースト政策』の内的与件と外的条件の変化

さて、特定の政策や理念が歳月の経過に伴い内的与件と外的条件の変化に当面するのは極めて一般的な現象である。以下、『ルックイースト政策』を巡る環境の変化と思われる点に触れてみたい。

内的与件には幾つかの変化が見られるが、最も大きな変化は、マレーシア自身が過去三〇年間に著しい経済発展を遂げたことである。この点、『二〇二〇』のイメージである先進国入りに近づく中において、先進国のステータス（自負）と『ルックイースト政策』の理念との『擦り合わせ』が将来的には課題になる可能性がある。

但し、現状においては、急速な経済成長に伴う歪みの是正（特に、都市環境問題）及び技術革新への自律的対応能力の向上が、マレーシア社会の大きな課題であることは明白である。従って、『擦り合わせ』自体は急を要する性格のものではないと言えよう。

外的条件の変化の一つは、『ルックイースト政策』が手本としている日本の『発展モデル』（『日本型企業経営』

や『官僚主導型』を含む）自体が破綻しかけている現状に対するマレーシア側から見た客観的な評価である。今後ともに、マレーシア経済の発展の教本とされ得るのかどうか。

但し、マレーシア側では、日本企業の独創性や技術革新の対応能力への評価は高く、『ルックイースト政策』の下での日本との連携には強い期待が寄せられている。

外的条件の変化のもう一つは、中国がマレーシア経済の最も重要なパートナーになりつつあるという現実である。『ルックイースト政策』の旗印とマレーシアの政治的・外交的立場との関係は政界や経済界にとっては微妙な要素を含んでいるように見られる。

以上のとおり、『ルックイースト政策』下の三〇年間には幾つかの内的与件と外的条件に変化が見られるが、斯かる変化が今後の『ルックイースト政策』の理念と内容に実際に関係していくのかどうかは、未知の要素が多いのも事実である。

この点に関しては、マレーシア国内で今後使われる『ルックイースト政策』という語彙の多寡の趨勢が判断の一つの目安になり得るとの見方もあるようである。

『ルックイースト政策』と深化への糸口

以上縷々述べてきたが、『ルックイースト政策』は、改めて述べるまでもなく、本来的にマレーシア側の政策理念である。この点では、我が国は本質的にはマレーシアのパートナーの立場である。

以上の点を踏まえれば、『ルックイースト政策』については、日本側から立ち入って示唆すべき事柄ではないとの見方も当然にあるであろうが、『ルックイースト政策』の機能を充実させていくこと自体は、日・マ両国相互の利益に適うものであることは確かであろうと思われる。

この点、筆者は、日・マ両国関係者が『ルックイースト政策』下の両国における内的与件と外的条件の変化にも留意し、『ルックイースト政策』の新しいモダリティについて日・マ両国関係者が意見を交換することは時期を得たものと考える次第である。

その際、日・マ両国関係者の参考になるのが『ルックイースト政策』によって日本に派遣された過去・現在の留学生と研修生の意見であるが、同時に、留学生と研修生を受け入れた日本側の大学や企業の意見も貴重である。いずれの場合においても、率直な見方と意見が大切である。

『ルックイースト政策』と機能的役割

さて、近年の日・マ両国間関係において『ルックイースト政策』が果たしてきた役割は大きいが、実際には、日・マ両国関係の大部分の事柄は通常の二国間関係の枠組みで処理されてきている。

では、日・マ両国関係の推進に『ルックイースト政策』が果たしている機能的役割は何であろうか。筆者は、『ルックイースト政策』の機能的役割は、日・マ両国関係におけるマレーシア側の自発的な意志の方向と分野が明確に示されていることにあると思っている。

筆者が『ルックイースト政策』の今後の在り方に関心を寄せているのも、正しく、『ルックイースト政策』の機能的役割に期待しているからである。

『ルックイースト政策』の新しい方向性

筆者は、今後の『ルックイースト政策』のプロジェクトの実施に当たっては、視点及び効果を異にする二つのパターンが望ましいと思っている。

その一つのパターンは、従来型の留学生と研修生の派遣事業の継続である。この点は、マレーシアの経済発展を担う人材の不足、特に、技術革新と経営管理能力を備えた人材の育成への必要性は依然として高いことを踏まえたものである。

もう一つは、新しい理念を取り入れた日・マ両国の文化的・社会的な連帯感を構築する双向性に富むプロジェクトの実施である。筆者が新たな理念のプロジェクトに向けての取り組みを提案する理由は二つある。

その一つは、従来型のプロジェクトの内容は（『ルックイースト政策』の経緯からは当然ではあるが）マレーシア発・着の一方交通の性格が強く、日・マ両国の社会・住民を繋ぐ双向性の視点には欠けるところがあると思われるからである。

もう一つには、新しい理念のプロジェクトを実施するには、『ルックイースト政策』三〇年の節目が最も好機と思うからである。

新しい理念に基づく筆者の一つの提案

『ルックイースト政策』下の新しい理念に沿った具体的なプロジェクトは幾つか予想されるが、筆者が期待する一つの案を日・マ両国関係者の参考に供したい。

即ち、マレーシアからの留学生で我が国政府機関が実施する特定の国家試験（医師、歯科医、獣医、薬剤師、看護師など）の合格者に対しは、マレーシア政府当局が所要の国内手続きを行い、日本の資格を認証する仕組みの導入である。

仮に、マレーシア国内でこの資格認証の仕組みが実現すると、日本での学業成果が直ちにマレーシア国内各地で生かされることになるが、最も重要な意義は、マレーシアの各層の市民に広く、かつ、直接に貢献できることにある。

同時に、旧留学生と日本の出身校との間の文献交換、再研修や指導教官の来訪などの日常的な交流が予想されるが、更には、日本の医療機材・薬品などの使用や病院システムの構築への参画を含む、保健衛生・医療分野における日・マ両国間の双向性に富む交流が期待される（日本側の関係者が『マレーシアから学ぶ』ことも多い筈である）。

また、副次的効果としては、旧留学生が習得した専門性の高い日本語能力の維持やマレーシア在留邦人の『医療』の安心や利便にも画期的に繋がることになる（現在でも、日本語通訳などの利便を提供している病院はある）。

他方において、我が国の大学などの教育機関の責任は高くなるが、留学生の受け入れが我が国の教育機関の『質』の国際的レベル確保への課題にも通じることになる。

現況に即して考えれば、マレーシアからの留学生の間での該当者は少ないと思われるが、スキームが発足すれば、該当者は相当に増えてくるものと思われる。

もとより、この提案が実現されるには、日・マ両国の双方に解決すべき幾多の壁があることは容易に想像されるが、中・長期的な視点に立ち、実現が可能な職種から順次拡大していくとの道筋でもよいのである。

実は、マレーシアでは、英連邦諸国間の協力の枠組みの一環として、英国の弁護士や医師などの国家試験の合格者に対する国内での資格認証制度が定着しているのである。

この点、日本側関係者の参考になると思われるのは、マレーシアでは英国の弁護士国家試験合格者が政・官界と財界で重きをなしている事実と、もう一つは、今やマレーシアの国策の一つになっている『医療ツーリズム』構想が、マレーシア国内の体制整備とアラブ首長国連邦やインドとの連携が同時的に進展しているのは、英連邦諸国間の医師資格の認証制度の利便性によっていることである。

邦人の辛苦が築いたバトゥ・パハの街
―四五年間の軌跡と歴史の風化―

（二〇一三年八月）

バトゥ・パハ（Batu Pahat 峇株巴轄）というジョホール州のマラッカ海峡を臨む人口約五万人の港町の名前には、日・マ関係者にも馴染みのない方が多いのではないかと想像している。筆者が知る限りでは、我が国のマレーシア観光案内のテレビ放送番組と新聞記事でも、バトゥ・パハが取り上げられたことはないようである。だが、今日のバトゥ・パハの基礎を築いたのが邦人企業であったという史実を思うと、我々日本人にとっては感慨深い街と言える。

本稿は、今日の我々には忘れられた感もあるバトゥ・パハについて、筆者の過去の現地旅行と関係文献・資料を基に日・マ両国関係史の一端として紹介する次第である。

因に、バトゥ・パハ（バンダール プンガラム）はジョホール・バルからバスで約二時間、また、マラッカからは約一時間半の地点に位置し、ゴム、コプラ、果実などの農産物の集散地であると共に、河口は漁港にもなっている。

邦人企業の進出とバトゥ・パハの街の形成

バトゥ・パハという地名が英領マラヤの地図に表れてくるのはジョホール・サルタン王国が英国の保護領になった一九一四年以降であるが、以前のバトゥ・パハの地域はルマ・バトゥ（軒廊）と呼ばれていたニッパヤシに覆われた小村落であったようである。

邦人企業と此の地域との関係は、尾張徳川家の徳川義徳侯爵とジョホール・サルタンとの親交が縁をなし、一九〇〇年（明治三三年）に『三五公司』がゴム園事業を手掛けるためにバトウ・パハに事務所を開設したことから始まっている。

三五公司のゴム園はバトウ・パハを拠点としセンブロン河流域やパナン山麓に拡張されているが、同時期に、三五公司以外の中小規模の邦人経営ゴム園も次々に開設されていったので、バトゥ・パハは専ら邦人によるゴムの集荷地として発展していた。

バトゥ・パハと邦人企業との繋がりが更に濃くなったのは、石原広一郎氏が一九二五年に『石原鉱業』を設立し（のちの石原産業コンツェルンの母体）、スリ・メダンの鉄鉱山（バトゥ・パハ河口から八マイルの地点で分岐するシンパンキリ川を一六マイル遡上した地点）の開発・操業に乗り出したことであった。

石原産業の社史『創業三十五年を回顧して』には、スリ・メダン鉱山は華僑系とマレー系の労務者を合わせて三〇〇〇人以上を雇用、バトゥ・パハの街には事務所、病院、分析所、職員住宅、倶楽部、小学校や寺院などを開設、また、一九四一年の閉鎖に至る期間に日本に供給した鉱石は九八五万トンであったと記されている。

以上記したように、今日のバトゥ・パハの発展は一九〇〇年に始まる邦人企業の進出が基礎になっているが、マレーシア側から見た文献記録は殆どないに等しい状況である。

詩人・金子光晴とバトゥ・パハ

さて、当時のバトゥ・パハの状況を知る貴重な手掛かりになるのが詩人・金子光晴（一八九五―一九七五）の『マレー蘭印紀行』（一九四〇年 山雅房刊）である。

『マレー蘭印紀行』には、金子光晴が一九二八年から四年間の海外放浪の旅の時期に訪れたマレー半島及びジャワ、スマトラとシンガポールでの見聞と印象が一括して収められているが、量的には、バトゥ・パハと近郊地域の記述が最も多くを占めている。従って、『マレー蘭印紀行』は当時のバトゥ・パハの状況を知る上での貴重な文献になっている。

特に参考になるのは、パトゥ・パハの暑気・湿気や霧の多発といった気候の特徴と共に、当時の街の形状や建物の景観が濃やかに描写されていることであるが、同時に、パトゥ・パハと近郊の在留邦人の活動と生活振りが克明に記されていることである。

また、バトゥ・パハと近郊に住むマレー系や移住労働者である華人系などの住民の生活様式や気質なども詳細に描写されているので、当時の地域の社会・文化事情も知ることができることである。

現在のバトゥ・パハと往時の市街

バトゥ・パハの現市街の中心部の東西の幅はバトゥ・パハ川に沿って徒歩二〇分、また、南北も徒歩二〇分の規模である。金子光晴の『マレー蘭印紀行』の描写風景に従えば、現市街の基本的な骨格は往時とは変わらないようである。もとより、バスターミナルを初め新築や改修された施設・建物や住宅も各所に見られる。

さて、金子光晴が定宿としていた当時の『日本人クラブ』のあった建物自体は古びたまま現存している(Jalan Engan)。また、金子光晴が通い詰めていたという『岩泉茶室』のあった建物は改修されて雑貨屋などの商店ブロックになっている。

石原鉱業の社史に記された事務所、職員住宅、病院や寺院といった施設・建物は外観から推測されるものは見当たらないが、バトゥ・パハ川岸から奥行きを一五分ほど歩くと日本人学校跡地と墓碑があり、往時の邦人社会との唯一の縁になっている。

なお、(筆者は訪れてはいないが)各種資料によれば、スリ・メダン鉄鉱山の跡地には、当時の施設の一部や鉱山の廃土が操業時期の姿を留めているようである。

作家・林芙美子とバトゥ・パハ

『浮雲』や『放浪記』の名作を著した林芙美子の資料が所蔵されている新宿区立博物館の『林芙美子資料B―3』・『南方従軍時ノート』の昭和一七年一一月二三日の欄には、『朝雨有り。一一時シンガポール発、ジョホールを通過してバトハパト（バトゥ・パハの誤記と思われる）に至る二時頃』と記されている。

佐多稲子らと同組の林芙美子の従軍記者の行程を見ると、翌二四日にはバトゥ・パハを出発し、マラッカを経由、セレンバンに至っているが、筆者は、林芙美子がバトゥ・パハに数日間滞在し従軍記者ノートを残していたならば、林芙美子の個性的な視点からの戦時下のバトゥ・パハの描写も参考になったのではないかと、（残念に）思っている次第である。

因に、林芙美子の『浮雲』は同人が全く訪れたことのない筈の『仏印』（サイゴンやダラットなど）が舞台になっている。筆者は、林芙美子の『浮雲』の原風景は、上述の従軍記者行程で約三週間滞在した南ボルネオの『バンジェルマシン』ではなかったかと思うところがある（農務省派遣営林技師、海軍民政府勤務タイピストや慰問巡業中の女優・五月信子との現地での出会いなど）。

今日のマレーシア地域と『日本人町』との関係

―史料から読む朱印船貿易―

（二〇一五年一月）

はじめに

朱印船貿易時代の南洋の『日本人町』については、日本人の誰にも馴染みのある事柄であると思われる。南洋の日本人町の存在と当時の日本人の活躍は、歴史へのロマンだけではなく、今日の東南アジア地域に親しみを感じさせる一つの要素にもなっていると思われる。

この点、過日、筆者の許にマレーシア在住の観光業に携わっているという邦人の方から寄せられた質問は、少し趣を異にするものであった。即ち、『邦人観光客から時たま質問を受けるので』と前置きし、『今日のマレーシア地域には日本人町がなかった理由について、示唆を得たいのですが』との内容である。

筆者としては、『なかった理由』を述べるのは、単に個人的推論に留まることになるので返答を躊躇したが、朱印船貿易と今日のマレーシア地域との関係を考察してみるのは、日・マ両国関係史を理解する上での一つの切り口になり得るとも思った次第である。

ともあれ、前述の質問内容には、同様な関心をお持ちの方も多数おられるのではないかと想像されるので、本稿をお借りし、筆者が朱印船貿易全体の構図に沿ってお答えした私見を、そのまま記した次第である。本稿が日・マ両国関係史の参考になることがあれば幸いである。

朱印船貿易の推移

我が国と南洋との貿易の先駆的活動である琉球中山王朝による『琉球船貿易』は一六〇九年に終焉しているが、所謂『南蛮貿易』は、ポルトガル商人との間で北九州の諸港で一五四〇年から九〇数年に亙り行われていた。

他方、この間の豊臣秀吉の政権時代からは『異国渡海朱印状』を交付された朱印船による南洋地域との貿易が始まっているが、徳川幕府の一六〇四年から朱印船貿易は本格化し、活況の続く中、朱印船貿易は一六三五年（寛永一二年）の海外渡航禁止令で終焉している。記録資料によれば、一六〇四年〜三五年の間に朱印状が与えられた南洋渡航船の数は三五六隻を数えている。

朱印船の渡航先と日本人町の形成

朱印船の渡航先としては、コーチシナ、シャム、カンボジア、ルソン、トンキン、高砂（台湾）とマレー半島が記録されている。このうち、日本人町が形成されたのは、フェイフオ（ホイアン）とトゥーラン（ダナン）、アユタヤ（シャム）、ディラオとサンミゲル（マニラ郊外）及びプノンペンとピニャールー（カンボジア）の七カ所である。

前述の一部の港市には、既に関ヶ原の戦い（一六〇〇）以前に主に浪人やキリスト教徒の日本人の南洋渡航（脱出）が始まっていたが、徳川幕府の下で朱印船貿易制度が本格的に確立したのに伴い、船員と貿易商人などを主体とした定住者が増加していき、日本人の頭領の下で自治権を持つ日本人町へと発展している。最盛期の南洋各地の日本人町全体では、五〇〇〇〜六〇〇〇人の日本人が住んでいたと推測されている。

『日本人町』以外の日本人居住地と朱印船貿易との関係

幾つかの文献によれば、既述の七カ所の日本人町の他にも『日本人居住地』が二〇カ所あったことが記されている。バタビア（ジャカルタ）、パタニー、マカッサル、テルナテ、マカオと安平などであるが、日本人居住者が最も多かったのはバタビアであった。

バタビアの日本人はオランダ政庁の管轄の下で現地住民と混住していたが、自前の船でマラッカやジャワ島内で集荷した物産をオランダ人に斡旋する他、アユタヤやフェイフオから時折寄港する日本船への仲介活動に従事していた。既述の他の日本人居住地においても、バタビアと同様に、日本人町との間の物産の仲介を行っていたと見られる。

マレー半島の朱印船寄港地パタニー

既述のとおり、マレー半島東岸のパタニー（今日のタイ・パタニー県）には日本人が居住していたが、パタニーはマレー半島では唯一の朱印船の寄港地でもあった。

当時のパタニーは一六世紀初頭からマラッカ王国の分身として発展していたパタニー王国の王都であったが、マレー半島東岸では唯一の天然の良港として古くからインド方面と中国方面との間の国際交通の中継地点になっていた。

パタニーには朱印船が直接に寄港した他、フェイフオやアユタヤ居住の日本人が自前の船や雇船で物産の取引に来航していたことも、各種文献から読み取れる。

朱印船貿易と今日のマレーシア地域との関係

朱印船は一一月~三月の北東季節風（モンスーン）と四月~一〇月の南西季節風を巧みに利用し日本の港と南洋の港を往復していたが、悪天候に遭遇し難破する船や海賊に遭遇する船があるなど、朱印船貿易には常に危険が伴っていたことが知られている。

さて、これらの諸点は、朱印船がマラッカを寄港先にしなかった理由として、マラッカが朱印船にとっては季節風利用の航海が難しい半島西岸の『非直通航路』であったのと、航海には危険が多く、また、往来に長期を要したことなどを推測させている。

なお、ボルネオ島北岸地域（今日の東マレーシア地域）と朱印船貿易との関係を示す記録資料は見当たらないが、当時のボルネオ島北岸には良港がなく、また、買い付け品が少なかったことなどによるものと思われる。

改めて記すならば、朱印船貿易と今日のマレーシア地域との直接の関係としては、マラッカではバタビア在住の日本人による朱印船貿易のための物産の買い付けが行われていたこと、また、間接的な関係としては、マラッカ王国の分身地域であるパタニーには朱印船が寄港し、日本人が居住していたことが挙げられる。

余滴

一六三三年の海外渡航禁止令以降の日本人町は自然と消滅の運命を辿っているが、オランダ人による記録には、フェイフオ、アユタヤとディラオの三カ所には、一六九〇~一七〇八年頃までは何人かの日本人が生存していたと記されたものがある。

また、一六三九年の異国混血児追放令による平戸などからバタビアに追放された『ジャガタラお春』や同様な運命の多くの女性が郷里に寄せた望郷の手紙、所謂『ジャガタラ文』が平戸の旧家や資料館に保存されているが、今読む我々の心に訴えるものがある。

我が国のODA協力と東西マレーシアの一体化

―海洋インフラ構築からの視点―

（二〇一五年八月）

はじめに

我々がマレーシアの地図を見る場合や国土の形状をイメージする場合、半島部と東マレーシア地域との間の海域部分についての関心と印象は薄いというのが実情のように思われるが、この点、我が国ODAと技術協力を通じた東西マレーシア間の一体化に関わる『海洋インフラ』関連分野への協力の実績についても、広くは知られていないように思われる。

本稿は、日・マ両国の協力関係の軌跡を辿る一環として、我が国官民による海洋インフラ関連分野への協力の内容を振り返る共に、今後の協力分野の所在についても参考に供するものである。

パームオイルタンカー造船事業

一九六三年に発足したマレーシアに対する我が国政府開発援助（ODA）による協力が始まったのは、一九六六年の第一次円借款（一八〇億円）供与からであるが、第一次円借款による事業は、当時のマレーシアの国造りの状況を反映し、半島部の通信網分野の整備拡充計画が大部分であった。

一九七一年の第二次円借款（三六〇億円）からは対象分野は多様化しているが、円借款による海洋インフラ関連事業として最初の協力案件になったのが、『パームオイルタンカー建造計画（二隻：六二・七億円）である。

マレーシアの当時の産業構造の中において、農村開発と産業技術を連結する輸出品として注目されていたのがパームオイル製品であったが、隘路となっていたのは、大量・安定的に海外輸出をするための自前のパームオイルタンカーがないことであった。

顧みて、今日のパームオイル産業の発展、特に、森林資源枯渇後のサバ州経済の基幹となったオイルパーム産業も円借款によるパームオイルタンカーの就航が礎になっている。

東西マレーシア間商用船舶造船事業

マレーシア発足後の課題の一つは東西マレーシア間の物資輸送の隘路の解消であったが、当時の東西マレーシア間に就航していたのは老朽化した小型船舶が多く、隘路の解消には、効率の高い大型船舶の導入が必須の事情にあった。

この事情に沿ったのが、一九七四年の第三次円借款（三六〇億円）による協力案件の一つとしての『東西マレーシア間商用船舶建造計画』（四二億円）であったが、船舶は我が国で造船されたあと、東西マレーシア間の輸送に就航している。

この結果、東西マレーシア間の物資輸送の隘路は解消されると共に、国民の間では、東西マレーシアの一体化への確信を高めるモメンタムにもなっている。

東西マレーシア間海底ケーブル敷設事業

東西マレーシアの一体化の上から残るもう一つの重要な課題は半島部と東マレーシア地域との間の通信網の接続であった。当時の東西マレーシア間の電話は無線中継であるために交信状況が悪く、また、東マレーシア地域のテレビ放送番組の多くはクアラルンプールから空輸される放送録画の使用に依存するなどの不便な状況に置かれていた。

斯かる状況の下、マレーシア政府から我が国に要請があったのが一九七八年の第五次円借款の一部（二一〇億円の内の五五・五八億円）を使用する『東西マレーシア間海底ケーブル敷設計画』であった。

海底通信用ケーブルの敷設工事を背負った我が国企業は難関を克服し、クアンタン―クチンの東西マレーシア間約六七〇キロメートルの工事を完成させているが、マレー半島とボルネオ島が物体（同軸ケーブル）で結ばれた画期的な事業であったとも言える。

東西マレーシア間に海底通信用ケーブルが敷設された結果、東マレーシア地域住民がマレーシア発足以来望んでいた電話通話、ラジオ放送とテレビ放送の分野で画期的な利便を享受することになったのは素よりであるが、特記されるのは、マレーシア国民の間において、東西間の地理的空間を克服した精神的な一体感が広まったことである。

造船所・港湾建設協力

以上の他の海洋インフラ構築の協力案件としては、『ジョホール・バル造船所拡充計画』（第二次円借款九五・〇七億円、第三次円借款四八・二〇億円）と一九七九年の第六次円借款（二一〇億円）によるサラワク州の『ビンツル港建設計画』（七八億円）がある。前者はマレーシアの造船能力の強化に寄与し、また、後者は液化天然ガスの輸出能力の強化に寄与しているが、両者共に、今日においても重要な機能を果たしている。

東西マレーシア間海底送電用ケーブル敷設計画構想

以上は一九八〇年代期央までの間の我が国が東西マレーシア間の海洋インフラ構築に協力した主な案件事例であるが、近年では、『東西マレーシア間海底送電用ケーブル敷設計画』構想が浮上しているので付記しておきたい。

前述の海底送電用ケーブル敷設構想の背景には、経済成長の著しい半島部では将来の電力需要の予測に見合う新たな電源開発は難しい状況にあるが、他方、サラワク州には、バクン水力発電所を主体とし、電力の最大需要時間帯においても約二三〇〇MW（注・我が国の標準規模の原発二三基分に相当）の余剰電力供給能力があるので、サラヮク州としては、半島部への常時大量の電力の売電が可能であるとの状況がある。

現段階では、東西マレーシア間海底送電用ケーブル敷設構想が具体化に至るには曲折は予想されるが、前述の背景からは、同構想の実現は必然性の高いものと思われる。

日・マ両国関係の『きずな』（提言）

さて、最後に記した『東西マレーシア間海底送電用ケーブル敷設計画』構想は、東西マレーシア間の海洋インフラ構築プロジェクトとしては最後の事業になると思われるが、日・マ両国が海洋インフラ建設協力を通じ築き上げた『きずな』の真価が問われる事業であるとも言える。

この点、東西マレーシア間海底送電用ケーブル敷設計画構想には、マレーシア側も我が国の参画を期待していると推測されるが、我が国としても、官民が一体となった取り組みが期待される次第である。

現代に蘇る『じゃがたらお春』の生涯　（二〇一五年一一月）

―イメージと実像の差の中の女性―

はじめに

筆者は、時折、会報読者の方から懇切な感想を頂くことがある。顧みて、ここ一両年に頂いた感想の中で最も多かったのは、本年一月一〇日付会報の『今日のマレーシア地域と日本人町の関係』であるが、意外にも、感想の内容の殆どが、筆者が末尾の『余滴』に数行触れただけの『じゃがたらお春』に関することであった。この点、読者の感想を読ませて頂いて気づいたことは、『じゃがたらお春』への関心の高さと共に、『じゃがたらお春』の人物像には様々な理解が混在していることであった。

本稿は、以上の読者の感想も参考とし、一人の女性史としての『じゃがたらお春』の全体像、特に、『実像』の部分を軸としてご紹介するものである。冒頭の会報記事の続編としてお読み頂くならば幸いである。

『じゃがたらお春』と歌謡曲『長崎物語』

『じゃがたらお春』の悲哀を基調とした歌謡曲『長崎物語』（作詞・梅木三郎、作曲・佐々木俊一）が世に出たのは南進論が高まっていた一九四〇年であるが、ヒット曲になった背景としては、岩生成一教授による『じゃがたらお春』についての現地史料の発掘が挙げられる（『南洋日本人町の研究』東亜文化研究所 一九四〇）。因に、『長崎物語』の歌詞は殆どの方がご存じかと思われるが、冒頭の部分が『赤い花なら曼珠沙華　阿蘭陀屋敷に雨が降る』で始まり、各節に乙女としてのナイーブな心情が情緒的に綴られている。

以上のとおり、『じゃがたらお春』という歴史上の女性のことが市民の間に知られる契機になったのは歌謡曲『長崎物語』であるが、同時に、『長崎物語』の歌詞が『じゃがたらお春』を非運の女性として見立てたイメージに繋がっている。

『じゃがたら文』と内容

徳川幕府が鎖国政策に基づき日本人の海外渡航を禁止したのは一六三三年（寛永一〇）であるが、翌三四年には、『南蛮人』の日本人妻と子女の二八七名をマカオに追放し、三九年には、南蛮人の日本人妻と子女三二名をジャガタラ（バタビア）に追放している。

徳川幕府は追放した邦人婦女子からの親類縁者宛の文通も禁止していたが、一六五五年頃からは禁止を解いている。文通が解禁されてからの親類縁者宛に寄せられた手紙が『じゃがたら文』と呼ばれているものであるが、現存する『じゃがたら文』の数は少なく、従って、『じゃがたら文』は、バタビアに追放された婦女子の心情と生活の模様を知ることができる貴重な手掛かりになっている。

この点、『じゃがたらお春』（以下、『お春』と記す）が長崎酒屋町在住の伯父の峰七兵衛と峰次郎右衛門に宛てた一六九二年（元禄五）五月七日付の手紙には（長崎県立図書館蔵）には、お春自身のことや家族の近況が詳しく記されている他、峰一族とは文通と贈答を仕合っていたことも読み取れるなど、お春の実像を彷彿とさせている。

この他の『じゃがたら文』には、コルネリアやコショロなどの洗礼名で記された女性からの親族に宛てた五通の手紙の原本が平戸の松村史料館に保存されている。なお、西川如見の『長崎夜話草』（一七二〇）にも、お春の手紙とする読む者の涙を誘う名文が紹介されているが、文体と内容から見て西川如見の潤色によると判断されている。

お春の生涯

お春の生涯については、前述の手紙を含む幾つかの疎明し得る史料があるが、これらの史料に従って整理すると、お春の生涯が見えてくる。

お春は、ポルトガル船のイタリア人航海士のニコラス・マニラを父、峰マリア（洗礼名）を母とし、一六二四年に長崎で生まれている。母のマリアは、長崎が南蛮貿易で活気を帯びていた慶長から元和の時期にニコラスと知り合い、正式に結婚している。二人の間には、お万（マクダレナ）、次いでお春（セラウニマ）が生まれている。

お春が母と姉と共にジャガタラ（バタビア）に追放されたのは、既述のとおり一六三九年、当時一五歳であった。お春は一六四六年にオランダ東インド会社の社員で平戸生まれのオランダ人シモン・シモンセンとバタビアの教会で結婚している。

お春の夫のシモンはオランダ政庁で順調に昇進し、税関長を務めたあと退職し、貿易業を営み、教会の長老の役にも就いている。この間、お春は三男四女に恵まれている。

お春は夫の病死から二〇年を経た一六九二年、六七歳の時、オランダ法に準拠し遺言書を作成しているが、この遺言書の内容及びお春の子供の洗礼書（いずれも、既述の岩生教授が発見）には、お春の幸せな家族の構成と強い信仰及び財産に恵まれた生活環境にあったことが読み取れる。お春は一六九二年、七二歳で生涯を終えている。

お春の人物像についての見方

今日に見る大衆文化の中のお春の非運の女性としてのイメージは、既述の歌謡曲『長崎物語』に発しているが、歌詞の発想自体は、西川如見の『長崎夜話草』や詩人・吉井勇による『鴬』に例えた物悲しい句（長崎市内の聖福寺境内の自然石『じゃがたらお春の碑』の裏面に記されている）を引き継いだものと言える。

だが、史料に示されるバタビアに追放されてからのお春の生涯は、前述のイメージとは異なったものになっている。即ち、お春は、当時の我が国の封建制度の下では殆どあり得なかった『自己表現に満ちた生き方』を送った女性であったことを初めとし、強い信仰に生きたこと、また、幸せな家族と生活面で恵まれた環境にあったことなどである。

筆者は、『長崎物語』が流行した背景には、悲哀という大衆文化の要素と戦争直前の世情が合致していたことがあったと思っているが、筆者の判断の適否は別として、お春が異国において逆境を逞しく生き抜いた女性であった事実は、広く知られてよいことのように思っている次第である。

現代に蘇る歴史

本年一月、我が国政府は『長崎の教会群とキリスト教関連遺産』を来年に世界文化遺産候補としてユネスコに推薦すること決定しているが、徳川幕府の鎖国政策で海外に追放されたお春や多くの婦女子の歴史が蘇る機会になっているとも言える。

マレーシアと『発展と変化の潮流』

―日・マ両国関係の今後を読む―

（二〇一六年三月）

はじめに

マレーシアの経済・社会の特定の分野や事項についての情報や資料は数多いが、経済社会の現況と趨勢を総合的に展望した論稿は意外に少ないように見受けられるのは、マレーシアの経済・社会の展望のための切り口が難しいことにあるように思われる。

この点、筆者は『発展と変化の潮流』をキィワードとして見ると、ある程度は、現況と今後の趨勢も整理されて見えてくるのと同時に、日・マ両国の協力関係の今後の道筋も、自ずと明らかになってくるように思っている。

本稿は、斯かる観点に立ち、現下のマレーシアの経済・社会に見られる顕著な幾つかの事象を通し、マレーシアの経済・社会の現況と趨勢を考察すると共に、今後の日・マ両国との関係に触れたものである。

本稿の内容がマレーシア事情と日・マ両国関係の理解の一端に資することがあれば、幸いである。

国民総所得の増加と我が国民間投資

近年の我が国のマレーシアへの民間投資の特徴の一つと見られるのは、投資分野が大型商業施設、和食レストランの店舗、嗜好飲料の生産・販売など、消費者嗜好を主としたサービス・流通分野への進出である。

前述の分野への日系企業の拡充と新規進出が注目されるのは、一人あたり国民総所得（ＧＮＩ）が一万ドルに達した社会と国民の生活志向の変化との関係である。

この点、経済専門家の通説に従えば、一人あたり国民総所得が一万ドルを越すと、国民の間の消費者志向と生活様式に顕著な変化が見られるとしているが、現在のマレーシアの社会は正にその例に合致していることになる。マレーシアの一人あたり国民総所得が一万ドル（超）というのは、マレーシア全土の国民一人あたり平均額である。首都圏住民の平均額に限れば、一万ドルの約二倍と見ることができるが、物価水準に照らした実質購買力も加味すれば、首都圏住民の実質所得は既に相当高い水準に達していることになる。

この点、前述の日系企業のサービス・流通分野への展開は、今日の首都圏住民の生活志向の趨勢を反映したものと言える。

国民総所得の増加と賃金の上昇

マレーシアの一人あたり国民総所得の増加は、正しくマレーシア経済の発展を具示したものであるが、他方、企業にとっては、国内の賃金の上昇への対応が課題であることを意味している。

筆者の手元にある近年のアセアン地域の主要都市の賃金水準の国際比較を示す各種資料によれば、クアラルンプール首都圏の賃金水準は、突出したシンガポール及び概ね横並びのバンコクを除いた全ての都市よりも高い数字が示されている。

もとより、賃金水準を国際的に正確に比較するには、政治的安定性、労働の質と労働者の規律の高さやインフラ整備の間接的利点などを含む生産性全体から見る必要があることは言うまでもない。

この点、クアラルンプール首都圏の賃金水準についても、生産性の視点を踏まえて比較する必要はあるが、数字から見る限りにおいては、クアラルンプール首都圏の賃金は、アセアン地域では相対的に高い都市の一つになっている。マレーシア国内の経済・社会の『発展と変化の潮流』を反映した最も分かりやすい事象と言える。

中進国に向けての展望と課題

世銀が二〇〇七年から使い始めた『中進国の罠』という用語がある。低賃金の労働力を生かして経済成長を遂げた新興国が、賃金の上昇に伴い、従前の成長路線が通用しなくなって経済成長が停滞してしまう現象を指している。

マレーシアの経済に即して言えば、経済が今後も安定的に成長を続けるには、既述の賃金上昇の趨勢を吸収し得る生産性の向上と同時に、国内の旺盛な消費と輸出の伸びの継続がカギになることを意味している。

この点、経済専門家の間には、マレーシア経済は総じて安定的に推移するとの見方をする向きが多いが（経済成長率は下降含みの年四・五％前後で推移）、これらの経済専門家も、マレーシアが『中進国の罠』を確実に回避するためには、企業の技術革新への自律的対応能力、今後の電力需給ギャップ、都市環境問題や都市・農村間の所得格差などへの適切な対策の必要性を指摘している。

『発展と変化の潮流』と貿易自由化の波

今後のマレーシア経済の趨勢で注目されるのは、『アセアン経済共同体』（ＡＥＣ）と『環太平洋経済連携協定』（ＴＰＰ）及び『東アジア地域包括的経済連携協定（ＲＣＥＰ）構想』と『アジア太平洋自由貿易圏（ＦＴＡＰ）構想』との関係である。

前述の貿易自由化のスキームのうち、マレーシアが現時点において直接の関わりを持つのは、昨年一二月三一日に発足したＡＥＣと参加各国の署名・批准待ちの状況にあるＴＰＰとの関係である。

この点、ＡＥＣはアセアン各国による一九九七年以来の努力の成果として評価されるものである。だが、ＡＥＣは、域内関税の撤廃のほかは（既に大方の加盟国では実現済みの状況）、非関税障壁の低減及び域外諸国からの輸入税の扱いなどは加盟国の自主性に委ねられた部分が多いので、マレーシアにとって、ＡＥＣの当面の影響と効果は必ずしも高くはないと見られている。

他方、ＴＰＰとマレーシアとの関係は、ＡＥＣとの関係とは次元を異にする性格をもっている。即ち、ＴＰＰはマレーシアが初めて太平洋を跨ぐ巨大な経済圏に参加することになると共に、従来の国際経済の枠組みとは異なる高度、かつ、新たな経済ルールの実践を担うという点である。

いずれにせよ、ＡＥＣの発足とＴＰＰの理念及び後続のＲＣＥＰとＦＴＡＰの各々が、マレーシア経済・社会の『発展と変化の潮流』を加速させる要素になることは確かであると思われる。

顧みて、マレーシアのＴＰＰ合意に至る交渉の結果は、輸出品目の拡大と税率を含む『攻め』の分野では、概ね期待に沿った展開になったと見られている一方、国内産業の保護などの『守り』の分野では、構造改革が避けられない課題になる可能性がある。

後者については、特に、政府が発注する大規模事業の国際入札実施の義務化は、従来の入札構造に依存していた関係団体にとっては厳しい対応を迫られることも予想される。

マレーシア企業の人材の強みの浮上

さて、マレーシア経済の国際経済との関わりが進む中において、筆者がマレーシア経済の強みの一つと思っているのは、地場企業には、国際分野の事業展開に馴染む人材が多い点である。

即ち、地場企業には、アジア地域各国の経営者層との血縁的、地縁的な繋がりがある者や地域の言語に堪能な者、あるいは、市場開拓の上に必須の知識である住民の生活様式と慣習や商品の嗜好に熟知している者が多いのが特徴になっている。

マレーシアの地場企業の斯かる人材面での特徴は、マレーシアの企業が国外との経済活動を展開していく上においての『アセット』であると共に、マレーシアがアジア地域各国の間の経済活動を繋ぐ『ハブ』となり得る条件を備えているとの見方もできる。

日・マ両国関係の理念の変化

顧みて、日・マ両国間の長年に亙る緊密な関係は、マレーシアの『東方政策』（ルックイースト政策）の理念が一つの軸になっていたことは周知のとおりであるが、近年では、東方政策の理念が、マレーシアの内外の環境の変化により乖離が生じていたのも事実であった。

この点、平成二五年七月二五日の日・マ両国首脳会談において、時代に即した両国関係を構築する旨の合意がなされたことは時宜を得たものであったが、以降の首脳会談を経て、日・マ両国関係の新たな機軸が『戦略的パートナー』の関係であることが表明されている。

同時に、従来の『東方政策』の理念は『東方政策2・0』の形で継承されるとの趣旨の合意もなされているが、『東方政策』の理念のトーンダウンは、『2020』を目指すマレーシアの立場に照らせば、自然な帰結であると見ることができる。

日・マ両国関係と国際連携の視点

既述のマレーシアが当面する貿易自由化のスキームは、我が国も直接・間接に関わる重要な事案ではあるが、今後の日・マ両国間の関係を見る上で最も注目したいのは、マレーシアの立場と同様にＴＰＰとの関係であると言える。

その最も大きな理由としては、日・マ両国がＴＰＰの掲げる理念の下に、今後の日・マ両国間の経済関係の活性化だけではなく、広く国際社会の貿易自由化の交渉の場においても連携し活動する素地が生まれたことである。

この点、今後のＲＣＥＰ構想とＦＴＡＰ構想のルール策定作業は、日・マ両国の連帯活動が問われる試金石になるが、特に、米国不在のRCEPのルール策定作業での連携が注目されることになる。

我が国と東マレーシア地域との関係

マレーシアの『発展と変化の潮流』の中で我々が見落とし易いのが我が国と東マレーシア地域との関係であると思われる。我が国と東マレーシア地域との関係は、単に当該地域との関係からだけではなく、日・マ両国全体との関係（『南シナ海』との地勢学的な関わりも含む）に影響するものであることは言うまでもない。

この点、東マレーシア地域の官民の間では、我が国官民による長年の真摯な努力と成果を反映し我が国への信頼と評価が高いが、近年、東マレーシア地域においては、我が国の『存在感』が低下の趨勢にあるとの見方が、現地の一部の有識者や在留邦人の間にあるようである。

斯かる印象には、ＯＤＡ事業の縮小、地元紙の日本関係の報道記事の減少、邦人観光客と民間投資の足踏み状況やコタキナバル総領事館の領事事務所への格下げなどの幾つかの事情と、同時に、近年の中国と韓国の各分野における顕著な進出との関係（例えば、中国はクチンの他にコタキナバルにも昨年四月総領事館を開設）の両方が複合しているように推測される。

いずれの理由にせよ、我が国の存在感の低下の印象には、我が国が東マレーシア地域との関係を維持発展していく上で考慮すべきものがあるように思われる。

日・マ両国関係の展望と課題

『東方政策』の理念を軸として着実に発展してきた日・マ両国関係は、今後は既述の『戦略的パートナー』の理念に基づき、教育、文化や観光の分野を含む成熟した関係に着実に進むことが期待されている。

だが、今後のマレーシアの経済・社会には、中国経済の趨勢、エネルギー資源価格の下落の動向やリンギ貨安の趨勢の影響などが予想される一方、我が国の経済・社会の現況も、グローバル経済・社会の成り行きに深く関わっているのが実情である。

前述のとおり、日・マ両国の現状は共に読み切れない要素を内在させている中において、日・マ両国関係の発展と深化には、お互いの創意と努力が従来にも増して必要になっていると言える。

この点、敢えて、至近の課題の一つとして付記して置きたいのは、本年中に発注先が決定するとの趣のクアラルンプール・シンガポール間の『高速鉄道建設計画』の判断には、日・マ両国政府当局が英知を傾けてもらいたいことである。

結びに代えて

マレーシアの経済・社会の現況と趨勢の見方には、主たる視点と対象をどこに置くかによって当然に各様の解釈があり得るかと思われる。

従って、本稿の『発展と変化の潮流』というキイワードに即した論証も一つの見方に過ぎないことは言うまでもない。筆者としては、マレーシアの経済・社会の現況と趨勢及び今後の日・マ両国関係の大筋を見る上において、分かり易い参考になれば幸いと思っている次第である。

なお、本稿の内容の記述にあたっては、紙面の制約の中、全体と各節のバランスに配慮したので、幾つかの事項には意を尽くせなかったとの思いもある。この点はご理解を願いたい。

（二〇一六年七月）

マラッカを最初に訪れた日本人

―南蛮史料に読む『アンジロウ』の人物像―

はじめに

フランシスコ　ザビエル師が我が国で布教活動を行った（一五四九―五二）最初の宣教師であることは広く知られているところであるが、ザビエル師を我が国での布教活動に導いたのが『アンジロウ』という人物であったことや、アンジロウのザビエル師との出会いの場所がマラッカであったことは、あまり知られていないように思われる（我が国とマレーシアのマラッカの観光案内資料にも記されていない）。

本稿は前述の点を視座とし、南蛮史料から読み取れるアンジロウの人物像について、当時の東西文化交流の視点から紹介するものである。本稿が読者のご参考になれば幸いである。

アンジロウの呼称

アンジロウという名前については、我が国の注釈資料にはヤジロウ（弥次郎、または弥二郎）と記されたものもある。南蛮史料では全てアンジロウと記されているが、この点、アンジロウの呼び名には、ギリシャ語とラテン語の『使者』（angelus、angelos）の発音に準えて付けられた仮名との解釈もできるようである。いずれにせよ、本稿では南蛮史料に準拠し『アンジロウ』と記した。

アンジロウのザビエル師との出会い

ルイス フロイスの『日本史』には、天文一五年（一五四六）、ポルトガル船の船長ジョルジュ・アルバレスが薩摩半島の山川港に寄港していた際、アンジロウという日本人が心の救いを求めてきたので、ザビエル師に会わせるべくマラッカに連れて行ったと記されている。この記述が、我が国の記録では出自不詳のアンジロウという人物を知ることができる最初の接点になっている。

同書によれば、アンジロウが実際にザビエル師に会うことができたのは、マラッカに着いたあと一年以上を経ている。当時、ザビエル師の布教活動は、インドのゴアを拠点とし、マラッカ、モルッカ諸島、アンボン島とモロタイ島にまで及んでいたので、マラッカに立ち寄る日を待っていたとの事情があったようである。

アンジロウはマラッカでのザビエルへの師事が一年余り続いたあと、ザビエル師の推薦によってゴアで神学を本格的に学ぶ道が開けている。ゴアに移ったアンジロウはボンジェス教会で洗礼を受けたあと、同地の聖パウロ教会でキリスト教神学を学んでいる。

アンジロウの師への説得

再び、フロイスの『日本史』によれば、ゴアで修学中のアンジロウはザビエル師と対面する機会がある度に、日本には布教が広がる余地があることを熱心に説明し、故国での布教活動を行うことを請うていたと記されている。

ザビエル師はアンジロウの熱意に対し、当時、ザビエル師自身にも上述の布教地域では顕著な成果があがっていないとの焦燥があったので、アンジロウの勧める日本という未知の国での布教活動に心が次第に動いていったと記されている。

ザビエル師は本部から日本での布教活動の許可が得られると、天文一八年（一五四九）四月一九日、宣教師二名とアンジロウを伴いゴアを出港し、船はアンジロウの出身地である薩摩半島の沖合に投錨のあと、八月一五日、薩摩国から上陸を許可されている。

ザビエル師の布教活動とアンジロウの献身

ザビエル師が大名・島津貴久の理解を得て布教活動を始めると信者も次第に増えたが、仏僧の反発が強かったので、薩摩国を出て周防国の山口に立ち寄り、更に、和泉国の堺へと移ったあと、再び山口に戻っている。山口では大名・大内義隆に布教の許しを得て多くの信者を増やし、その後、豊後国の大名・大友義鎮の招きで布教活動をしている。

以上のザビエル師の二年三ヶ月の布教活動は、我が国の各種記録資料から明らかなものであるが、ザビエル一行の中のアンジロウの存在について触れたものは見当たらない。

この点、南蛮史料からは、アンジロウがザビエル師の布教の通訳を努める傍ら、布教のための神（デウス）の概念や聖句の日本語訳などに辛苦し、ザビエルを献身的に支えたこと、また、アンジロウが神を『大日如来』に擬似した説明を取り入れるなど、苦心の姿が読み取れる。

ザビエル師の帰国とアンジロウの失意

ジョアン・ロドリゲスの『日本教会史』及びフエルナンド・ピントの『東洋遍歴記』には、アンジロウはザビエル師が我が国を離れてから間もなく仏僧の執拗な迫害に会い、失意の中に中国方面に向けて出国したが、寧波（ニンポー）付近で消息を断ったと記されている。

他方、ザビエル師はゴアに一旦帰ったあと、中国での布教を試みるべく広州港外の小島（上川島）で待機中に熱病を罹り死亡している。今日、マラッカの丘の上に見る廃墟のセントポール教会前庭のザビエル師の巨大な立像は、ザビエル師の死去の報がマラッカに伝わったあとに建立されたものである。

鹿児島市のザビエル公園とアンジロウの立像

参考までに付記すれば、我が国にも、鹿児島市にはザビエル師の来航四〇〇周年にあたる一九四九年に建設されたザビエル公園がある。来航四五〇周年にあたる一九九九年には、ザビエル師及びアンジロウとベルナルド（洗礼名、薩摩国出身）の三人の等身大の立像も建立されている。

歴史のロマンと確かな史実

アンジロウの生涯については、南蛮史料による限られた記述の範囲しか知ることができないが、アンジロウの人物像の歴史の偶然を思わせる要素は、『ジョン万次郎』の人物像とも一部重なるが、我々の興味をかき立てる歴史のロマンにもなっている。

他方において、我々が南蛮史料から確実に知り得ることができるのは、アンジロウのマラッカ滞在（一五四六―四八）の時期は、我が国の南蛮貿易船が南海に航行する遥か以前であることである。この点に即すれば、アンジロウはマラッカの土を踏んだ最初の邦人であったことになる。

第二章　我が国と東マレーシア地域との関係

東マレーシア地域と我が国在外公館
―回顧と提言―

（二〇一〇年八月）

コタキナバル（ジェッセルトン）に日本国領事館が開設されたのは一九六五年、即ち、英領北ボルネオ（サバ州）と英領サラワク（サラワク州）がマレーシア連邦に加入した二年後のことである。コタキナバル日本国領事館の管轄地域はサバ州とサラワク州及びブルネイ（当時は英領）と定められた。

本稿を記すに際し、外務省外交史料館などの記録資料を参照して見ると、コタキナバル領事館の開設当初の数年間は、事務所や公邸の整備に苦慮したことや、緊急の課題としての殆ど荒廃状況にあった各所の日本人墓地の改修整備、戦没者の遺骨・遺品の情報整理、主要都市の日本人会設立の勧奨と管内基礎資料作りなどに、館長領事と館員二名の三名で懸命に取り組んでいたことが読み取れる。

また、八〇年代前半までの記録資料には、数次にわたる戦没者遺骨収集事業とラブアン戦没者慰霊祈念公園設立の二つの戦後処理事業が残っていたことも記されている。

他方、顧みて、七〇年代後半からは、マレーシア全体の安定的な経済発展の中で東マレーシア地域も急速な発展を見せ、同時に、東マレーシア地域における我が国のプレゼンスも高まっている。

日本と東マレーシア地域との順調な関係は、日本政府の開発援助の拡大及び熱帯木材の大量輸入と液化天然ガスの長期安定的な輸入確保などの実績に象徴されているが、東マレーシア域内の在留邦人の数も、ピーク時には一千名を越していた。

しかし、九〇年代になってサバ州とサラワク州の木材産業が衰退し始めると、在留邦人の大半を占めていた木材関係者とその家族の多くが撤退し、東マレーシア地域全体と日本との経済関係及び地域レベルの在留邦人の交流活動も沈滞が始まっていた。

他方、必然的に、サバ・サラワク両州官民の間には、ＩＴ産業などの分野への民間投資と木材資源の多角利用・自然環境保護や成田・関空との航空便の増便と邦人観光客の増加など、特定新規分野での我が国に対する期待が高まっていた。

換言すれば、日本・東マレーシア地域間の関係は、発想新たな相互関係と対応を問いかけられていたと言えるが、筆者がコタキナバル領事館の館長領事として赴任したのは、正に、この時期の一九九五年一月であった。

実は、筆者は迂闊にも発令を受ける直前になって、外務省の領事組織系統の在外公館の中で、コタキナバルだけが唯一、領事館レベルに留まっていたのを知った次第であるが、着任後直ぐに、中国もインドネシアも総領事館であるとの事実を前にして、改めて日本政府のアジア（マレーシア）外交の理念と実態の差異を痛感した次第である。

紆余曲折の経緯は省略するとして、コタキナバル日本国領事館は九七年七月に総領事館に昇格したが、筆者が総領事館昇格の請議を始めてから二ヵ年を要している。

筆者が総領事館昇格の必要性として強調したのは、政府開発援助が第一位という事実に相応しい格付けと管轄州官民の高い信頼が必要であるとの判断のほか、石油・天然ガス・木材資源の安定的輸入先と民間企業投資先としての有望性（ＩＴとパーム・オイルの分野）や在留邦人と邦人旅行者の保護態勢と文化交流の深化及び隣接諸国地域の治安状況と東ＡＳＥＡＮ地域協力構想の情報収集などを含む在外公館としての機能の充実の必要性であった。

さて、前述の通り、コタキナバル日本国領事館が開設されてから今年で四五年（総領事館に昇格してから一三年）を経たが、然るに、今年度中には、コタキナバル日本国総領事館は廃止され、コタキナバルには駐在官

（領事出張駐在）事務所が開設されるようである。

顧みて、日本と東マレーシア地域の関係の発展に尽力された館員と在留邦人の諸先輩の姿が浮かび忸怩たる思いがあるが、前述した総領事館への昇格理由として具申した諸点は、日本とマレーシアとの関係、特に、東マレーシア地域との関係を考える上において、今も変わっていないと思っている。

だが、他方において、国家財政の厳しき折から在外公館の見直しやスクラップアンドビルドの構想は理解されると共に、在外公館間の相対的視点からは、コタキナバル総領事館の近年のパフォーマンスが、結果的に低く推移したのではないかとの複雑な思いもある。

いずれにせよ、コタキナバル総領事館の廃止によって、東マレーシア地域において営々と積み上げてきた日本のプレゼンスが一挙に低下しないことを望むものである。

この点、外務省関係者には、新設のコタキナバル駐在官事務所の組織と機能には工夫を得たいが、同時に、サバ州内の三ヵ所の日本人会及びコタキナバル日本人学校との従来以上の緊密な協力態勢の確保が課題となろう。

また、サラワク州はクアラルンプールからの距離が遠く、主要都市も海岸線に沿って点在しているので、在留邦人や邦人旅行者の不慮の事故に即応するには駐在官事務所の必要性が潜在的に高い。差し当たりは、州内の四ヶ所の日本人会のネットワーク体制の強化を図ることが課題であるが、近い将来にクチンに駐在官事務所の開設を期待致したい。

なお、在マレーシア大使館には、サバ州、サラワク州とラブアン連邦直轄区の日本人墓地と戦没者慰霊碑の管理には、今後一層のご留意をお願いしたい次第である。

東マレーシア地域と邦人観光客数の推移
—路線拡大の効果と現状課題—

（二〇一一年八月）

東マレーシア地域との航空便数の増加（第一段階）

コタキナバルはマレーシア国土の中で我が国から最も近い距離にある国際空港であるが、筆者がコタキナバルに赴任した一九九五年一月当時は、マレーシア航空のコタキナバル経由便（成田—クアラルンプール間）は僅か週一便という状況にあった。

筆者はコタキナバルに着任すると、増便の実現が我が国とサバ州との交流拡大の重要な一つであると判断し、増便の実現方をマレーシア航空、サバ州政府と運輸省航空局に対し繰り返し働きかけた経緯がある。

増便は筆者の在勤中には実現に至らなかったが、増便の実現には成田国際空港の滑走路の延長と関西国際空港の開港が必要であることが判明した次第であった。

前述の事情が解決すると、コタキナバル経由の週二便の増便と、次いで、新規の関空—コタキナバル週二便も運行が実現し、我が国とコタキナバル間の往来の利便は一挙に拡大することになったが、クチンとラブアンへの乗り継ぎにも便宜性は増したことになった。

増便実現とサバ州への邦人観光客の増加

振り返って、筆者が増便の要請を行っていた時点では、マレーシア航空側には増便のもたらす客席占有率には確信がなかったようであったが、結果的には、週五便になっても客席占有率は一定規模の高さが維持されてきている。

潜在的な邦人旅行者（その多くは観光客）が多かったとの本来的な事情の他、マレーシア航空の努力とサバ州側の邦人観光客誘致への努力があったことも確かである。

二〇〇四年までのサバ州への邦人旅行者の数の推移を見ると、週一便の時期の一九九六年が一万二〇〇〇人に対し、増便以降は二〇〇二年が二万五五〇〇人、〇四年が四万四〇〇〇人と、増便と新規運行にほぼ対応した形で増加が示されている（但し、『邦人旅行者数』には、サラワク州と半島マレーシアから到着の旅行者も含まれている）。

二〇〇五年以降の停滞現象

しかし、サバ州への邦人旅行客数は、二〇〇五年には、前年実績の四万四〇〇〇人から三万二〇〇〇人に下降し、〇六年三万五六〇〇人、〇七年三万二〇〇〇人、〇八年三万六〇〇〇人、〇九年三万四〇〇〇人という推移を示し、現況は〇四年の数字の回復には至っていない。

この背景には、我が国経済の極端なぶれや感染症の流行などが大きく影響したと見られる複数の年度もあるので、停滞には不可避の要素もあったと言えよう。

羽田―コタキナバル路線開設（第二段階）

さて、マレーシア航空は二〇一〇年一一月一五日より羽田―コタ キナバル線（週三便）を新設し、更に、本年一月一八日からはクチンまで同路線を延長し、また、同日から関空路線（週二便）もクチンまで延長している（なお、事情は不詳であるが、本稿執筆時点ではクチンへの延長措置は中止され、従来同様の乗り継ぎになっている）。

前記の羽田発コタキナバル便の開設は羽田の国際ターミナル化によって可能になった措置と言えるが、成田に替る都心の羽田が起点になったことは、東マレーシア地域への邦人旅行者の利便に適ったものになっている。

サラワク州の邦人観光客数の推移

さて、サラワク州への邦人旅行者数の推移を見ると、二〇〇三年の八七〇〇人から〇四年は一万人の大台に達している。以降は、〇五年九八〇〇人、〇六年一万四〇〇人、〇七年八七〇〇人、〇八年九九〇〇人、〇九年一万五〇〇人と、一万人の大台を上下している。サバ州との対比では約三分の一に止まっている。

今回の羽田発路線への変更が、サラワク州の邦人観光客の増加にも好影響を及ぼしていくか否かが注目される。

東マレーシア地域への邦人旅行者の関心と課題（提言）

東マレーシア地域との交流の一層の発展を願う者のひとりとして、以下、関係者（先）への率直な個人的な提言を記してみたい。

① マレーシア航空はＩＡＴＡでも最も評価の高い航空会社の一つであることは知られているが、東マレーシア路線は他社との競争関係がない路線であることにも鑑みて、料金、燃油課徴金、サービスなどには、利用者の意見を極力反映させる努力を望みたい。

② マレーシア観光当局や旅行業者が推奨する『エコツーリズム』に最も関心が高いのは大学の学生である。だが、学生は長期学業休暇の時期にしか旅行の機会が乏しく、他方、この時期は航空料金やホテル代も高く設定されている。結果、旅行は断念せざるを得ない者が多いようである。関係業界が知恵を出して頂くことを願う次第である。

③ 現今では、世界各地域を対象とした多様な、かつ、合理的料金のツアープログラムが数多くあるが、東マレーシア地域の現地ツアープログラムは、サバ州もサラワク州も、体験するツアーの内容は概ね類似し、かつ、近

年では固定化された感も否めない。

この点、地元観光業界によるサバ州とサラワク州の各々の特徴を生かした『エコツーリズムプラス』の志向に富むプログラムが実現することを期待したい。

④ サバ州観光振興公社（ＳＴＰＣ）は、英語版を元にした各種の日本語版サバ州観光案内パンフレットやビデオを刊行しているが（専務理事の熱意と日本人職員の貢献が寄与）、多くの邦人旅行者の評価は高く、結果、邦人観光客の増加にもつながっていると聞く、サラワク州やラブアン島の観光関係者の参考にしていただきたい次第である。

⑤ サバ州の農水産物生鮮品が航空貨物として我が国への輸出産物になり得るには、鮮度と付加価値が高いことが必要であるが、深夜に都心に便が着くことは、コタキナバルの業者にはビジネスチャンスでもある。

既に、マグロのトロの切り身は成田到着便時代から行われているが、高級品種のラン（欄）などの輸出商品の開発も期待したい。

我が国のサバ・サラワクの自然環境保護分野の協力

―過去三〇年間の全体像から見る特徴―

（二〇一五年四月）

はじめに

顧みて、我が国の政府開発援助による自然環境保護分野の協力プロジェクト（熱帯雨林再生計画）が初めてサバ州ベンコカ地域で実施されたのは一九八五年である。本年は丁度三〇年目に当たっていることになる。サバ・サラワク州における我が国官民の自然環境保護分野の協力については、我々の多くが知るところではあるが、知り得る内容には、『個別的案件』の実施企画や進捗状況の紹介に沿ったものが多いように思われる。

本稿は、以上の点に留意し、我が国官民の過去三〇年間の両州の自然環境保護分野における協力活動を通じ、特に、我が国官民の協力活動の『全体像』から見た特徴と思われる諸点を整理・要約し、ご参考に供するものである。

我が国の協力の土台

既述のとおり、我が国のサバ・サラワク州における熱帯雨林再生に向けたODAによる協力は、一九八〇年代期央から始まっているが、この点、我が国の協力プロジェクトは、熱帯雨林の荒廃が国際社会の関心事になる一九九〇年代の以前から実践されていることを意味している。我々自身が認識しておきたい事柄である。

また、現在、サバ・サラワク州政府が主体的に実施している森林保護計画の大部分は、我が国のODA協力による八〇～九〇年代の報告書が参考にされているが、我が国の技術協力への高い信頼性が示されていると言える。

我が国官民の善意と関心の反映

我が国の過去三〇年間のサバ・サラワク州における自然環境保護分野の協力の特徴は、熱帯雨林の再生活動（植林と育成管理）、自然生態系のフィールド研究と日系木材企業の貢献の全般に及んでいることである。諸外国による協力には例を見ないものである。

我が国のこうした協力活動は、言うまでもなく、政府開発援助、民間企業、ＮＧＯ、学術研究機関や多数の個人の善意に支えられた結果であるが、同時に、我が国国民全体の自然環境保護に対する高い関心の反映であると理解される。

我が国の協力の質の深化

我が国の近年の協力の態様で注目したいのは協力の質の深化である。事例は未だ多くはないが、例示すれば、サバ州における我が国ＮＧＯによる大型野生哨乳動物の安全や訓練・移動のための創意工夫が反映した機材の提供やサラワク州で当協会が実施中の複合的な目的を組み入れた植樹協力プログラムなどが挙げられる。

日系木材企業の努力と貢献

日系木材企業が多数の現地住民の雇用と技術移転を通じ、サバ・サラワク州の経済・社会の発展に大きく寄与してきていることは我が国国内でも広く知られているが、我々自身が見落とし易いと思われるのは、日系木材企業が木材資源の有効利用と付加価値の増大への努力を通じ、自然環境保護分野で果たしている間接的な高い貢献である。

植樹参加の動機と我が国の木材輸入

さて、近年、我が国の若い世代の間で植樹活動への参加者が増加し、自然環境保護への関心の高さを伺わせているが、植樹参加への動機として『我が国はサバ・サラワク州の木材を輸入し熱帯雨林を荒廃させたから』との発想に出会うことも少なくない。

我が国の木材輸入、即ち、森林の荒廃という図式的な解釈によったものと推測されるが、事実には沿わない解釈であると共に、現地官民の理解とも明らかに異なるものである。植樹の実際の体験の中から、『本来的な意義』に気づくことに期待したい。

諸外国の協力と国際的発信性

サバ・サラワク州で諸外国が実施しているプロジェクトの中には、地域の官民の間で高い評価を受けている幾つかのプロジェクトがある。例示すれば、英国NGOによるサンダカンの『オランウータン野生復帰訓練センター』への長年にわたる専門家の継続的派遣や、韓国企業による資源循環型の先進環境技術を駆使したパーム・オイル精製施設の建設・運用などのプロジェクトである。

これらのプロジェクトの評価は、国際的にも供与国のイメージ形成の高さも伴っている点では、今後の我が国官民の協力のあり方を考える上での参考になると思われる。

我が国の協力関係者に望まれる実践的課題

以下は、我が国官民による協力のパフォーマンスから見た気づきの補足事項である。

① 我が国官民の協力案件には『事後評価』への関心が薄いように見られる。近年では、ODA実施プロジェクトについては、事後評価のシステムが導入されて改善の努力の跡が見られるが、一般的には、事後評価の仕組

みは確立していない。

完了したプロジェクトの一定期間後の検証は、プロジェクト効果の判断（必要な即応の補修・補正も含む）と今後の協力の上での参考とすべき諸点の認識に繋がるものであるが、事後評価の実施はプロジェクト内容の一部であるとの理解が必要と思われる。

② 我が国官民による現地での協力は幅の広さが特徴である一方、邦人関係者の間における現地での情報交換の機会や相互の貴重なノウハウが現実に活されている事例は少ない。邦人関係者の相互の交流を通じ、我が国官民の協力の相乗効果及び地域官民への発信力が強化されることが期待される。

結びに代えて

サバ・サラワク州の自然環境保護政策は、森林経営の持続的成長の理念の下で着実に実施されてきているが、幾つかの潜在的な対応課題を抱えつつも、政策には振れが見られないのが特徴になっている。

従って、我が国官民のサバ・サラワク州の自然環境保護分野の協力は、企画立案に沿った成果が生かされ易い環境にあることを示している。この点、既述した我が国官民による過去三〇年の貴重な経験の蓄積が今後の更なる充実の土台になる筈である。

『戦後七〇年』の節目と思い
―東マレーシア地域と『戦中・戦後』の脈絡―

（二〇一五年七月）

はじめに

今年は『戦後七〇年』の節目の年に当たるが、『戦後七〇年』という言葉の受け止め方には、個人の体験や世代の相違などによる濃淡があると思われる。

さて、筆者がコタキナバルに在勤していた一九九五年は、『戦後五〇年』という大きな節目の年であった。現地で多くの慰霊団をお迎えしたが、筆者が今も強く印象に残っていることがある。ラブアン島での慰霊祭の式次第の最後に行われた参列者全員の『海ゆかば』の斉唱の際、老婦人が感極まって号泣された姿である。あとで伺ったのであるが、結婚間もなくにして夫をラブアン島の戦闘で亡くされた方であった。

『戦後七〇年』の節目と老婦人の悲痛な姿とを重ね合わせて思うことは、戦中と戦後直後の体験世代が減少し、また、我が国を取り巻く国際環境も変化する中で、戦中の体験及び戦後の心情と復興過程を適切に伝え続けていくことの難しさである。

前述の点を含む『戦後七〇年』の論点は多いと思われるが、本稿は、太平洋戦争の三大激戦地の一つであった北ボルネオ地域（現在の東マレーシア地域）を対象とし、戦後の主な懸案の中に示された『戦中』と『戦後』との脈絡を紹介したものでる。『戦後七〇年』を考える上での参考に資するならば幸いである。

日本人墓地の修復と整備

現在も広くは知られていない事柄と思われるが、戦後の我が国と北ボルネオ地域との関係の空白の中で憂慮されていたことの一つは、太平洋戦争期と戦後長年に亙り放置されていた各地の日本人墓地の状況であった。いくつかの情報によれば、殆どの日本人墓地が墓石の崩壊と地形の侵食で消滅直前の状況にあることが知られていたからである。

一九六五年、コタキナバルに日本国領事館が開設されると、同領事館では直ちに日本人墓地の修復・整備に取り組んでいるが、一九七〇年までには、土地使用権の回復を含む修復と整備を遂げている（着手時点で完全に消滅していたものも二か所あった）。

『ボルネオ戦没者慰霊の碑』と『ラブアン平和祈念公園』

一九七五年頃になると、ボルネオ遺族団体の間において、サバ州のボルネオ本島内に『ボルネオ戦没者慰霊の碑』の建立構想が持ち上がっていた。

だが、『ボルネオ戦没者慰霊碑』の建立構想は、現地住民の厳しい反響のために数年の間は中断し、最終的には、日本政府、ボルネオ戦没者慰霊団体とサバ州政府の三者の間において、当時はサバ州の一部であったラブアン島に建立することで合意がまとまったとの経緯がある。

工事は順調に進捗し、広大な和風庭園の『ラブアン平和公園』と『公園』内の正面中央に大理石の『ボルネオ戦没者慰霊の碑』が完工したあと、一九八五年四月一四日に『ボルネオ戦没者慰霊の碑』の除幕式と入魂式及び『ラブアン平和祈念公園』の日本政府からマレーシア政府への贈呈式が行われている。

『ボルネオ戦没者慰霊の碑』の碑文には、『太平洋戦争においてボルネオ島海域で戦没されたすべての人々を偲び、平和への思いを新たにする』と刻まれている。この碑文の中には、国家再生の礎になられた戦没者への深い哀悼の念と次代を託された者としての平和への強い決意が読み取れる。

『北ボルネオ戦没者遺骨収集』

北ボルネオ地域における『戦後』のもう一つの懸案は、現地に残された戦没者遺骨・遺品の収集であった。一九七〇代期央には、遺族団体の間では遺骨の早期収集の実現に向けての焦燥感が高まっていたが、遺骨の収集作業には、サバ・サラワク州政府の了解と地域住民の協力が前提条件となるために時期を待つ必要があった。最終的には、日本政府の遺骨収集作業は一九八三年に実施に至っているが、遺骨収集作業は当初の計画に沿った目的がほぼ達成されている。遺骨収集作業に当たっては、生死を分かち合った戦友の方々も参加し尽力されている。

団体・個人による慰霊活動

我が国の主要な『戦後』の懸案が収拾されるに至った一九八〇年代期央頃からは、北ボルネオ地域で軍務に服した旧軍人や遺族の団体による現地での慰霊祭が行われるようになっている。多くの場合、戦跡地巡礼と周辺村落の住民との交流活動も併せ行われている。

『戦後五〇年』の一九九五年には、現地において日本国内各地の一〇以上の団体やグループによる慰霊祭が集中し執り行われている。『戦後五〇年』の慰霊行事に参加された旧軍人や遺族の多くの方の間には、現地での慰霊活動は、年齢や健康に照らし最後の機会になるとの思いが強かったようである。

住民の『心の傷痕』

近年の日・マ両国関係の密接な関係の下、我々はややもすれば現地住民の心情については忘れがちであるが、一部の現地住民の間には、今も『戦中』の『心の傷痕』が残っていることは、我々の心に留めておくべきことのように思われる。

その一つの例としては、サバ州政府がコタキナバル市内に建立した『アピ事件（抗日蜂起事件）受難者追悼碑』のある慰霊公園では、事件参画容疑者が日本軍により処刑された日に当たる一月二一日には、毎年、サバ州政府高官と遺族関係者が参列し追悼式が営まれていることである。もう一つの例としては、サンダカンにおいても、連合軍共謀罪容疑で華人系住民有力者が処刑された日に当たる五月二七日には、毎年、華人系団体主催による追悼式が『華人受難追悼碑』の前で行われていることがある。

補筆（私見）

近年、既述のラブアン島の『ボルネオ戦没者慰霊の碑』を追悼に訪れる方は、戦友の物故者の増加や遺族の世代交替などの状況も反映し年々減少に至っているが、現況は、日本政府を主催者（例えば、大使館）とする現地での戦没者追悼の適切な形式を検討すべき時期にきていることを示唆しているように思われる。

ボルネオ戦没者への思いを国レベルで継承していくことは、我が国国民とマレーシア国民とが国際社会の平和な未来と繁栄を共有するとの確信にも繋がるものと言える。

東マレーシア地域と総領事館の必要性

―現状から見た考察―

（二〇一七年一一月）

はじめに

顧みて、コタキナバル総領事館の廃止と領事事務所に移行してから約一〇年を経ているが、この間、我が国と東マレーシア地域との関係には、幾つかの適切な留意を要する状況が生じているように思われる。

その主な一つは、近年の南シナ海とスールー海の情勢に伴い、東マレーシア地域の地理的位置が、我が国の安全保障に関わる新たな視点を供していることであるが、もう一つは、東マレーシア地域では、我が国の存在感に低下の趨勢が見られることである。

本稿は、前述の事情を視座とし、東マレーシア地域を管轄する我が国総領事館の必要性についての『私見』を記したものである。

南シナ海とスールー海の情勢との関係

東マレーシア地域の地理・地勢の特徴の主な一つは、東マレーシア地域の北岸全部が南シナ海に面していることと、サバ州の東岸全域がスールー海に接していることであるが、東マレーシア地域の住民の安寧と生活が、南シナ海及びスールー海に深く関わっていることを示している。

この点、近年、特に注目されるのは、南シナ海との関係では、東マレーシア地域の海域と中国が主張する南シナ海の所謂『九段線』が必然的に関わっていることと、スールー海との関係では、従来からの当該海域の治安上の状況の他、ミンダナオ南部の特定地域における所謂『過激派』と外部地域との関係も留意点になっている。

前述の東マレーシア地域と南シナ海及びスールー海との現況関係は、我が国から見れば、東マレーシア地域が我が国の安全保障にも関わる地域的な『情報収集の潜在的立地』の一つであることを示唆していると共に、コタキナバル総領事館の復活の意義に『新たな視点』を供していると思われる。

東マレーシア地域事情の趨勢との関係

現在のコタキナバル領事事務所は、旧コタキナバル総領事館の機能から主として領事事務の分野を引き継ぐ形になっているが、実際には、領事事務所が多面に亙る分野に鋭意対応していることは高く評価されるところである。

だが、総領事館の目的と格や規模の相違が、自ずと活動の幅と水準を制約し、我が国と東マレーシア地域との関係が低調になっている現状と、我が国の東マレーシア地域における存在感が概して低下の趨勢にあることは、必然的な成り行きと言える。

斯かる状況は、総領事館の復活が望ましいことを示唆しているように思われるが、状況の客観的判断には、次の諸点が一つの参考になるものと思われる。

①東マレーシア地域の官民と総領事館との関係
近年、東マレーシア地域の官民の間では、我が国の存在感の希薄化を指摘する向きが少なくない。斯かる印象には、近年の中国の経済と文化分野の顕著な進出が影響していると見られるが、もう一つ直に伝わってくるのは、中国が総領事館を従来のクチンの他にコタキナバルにも新設し、他方、我が国はコタキナバル総領事館の廃止という相対的な事実についての受け止め方である。

この点、我々が留意したいのは、後者、即ち、総領事館との関係であるが、東マレーシア地域の官民の間では、地域事情の特徴として、諸外国の東マレーシア地域への関心度と総領事館の有無とを一体として見る傾向が強いことである。

従って、中国とインドネシアが総領事館、他方、我が国は領事事務所という組織の格に見える相違の現状は、地域官民（特にサバ州）の心情は複雑なものがあると見られる。

幸い、現時点では、我が国の官民が過去に築き上げた絆が残っているが、我が国の総領事館のない状況が続けば、地域官民との間の信頼感と親近感も次第に薄らぎ、結果、中国の存在感との格差が、（中国の進出の実態以上に）広がることは確かと思われる。

②日系企業と支援強化の必要性

近年、東マレーシア地域では、エネルギー資源を利用した工業化や『汎ボルネオ道路建設計画』に基づくインフラ事業が急速に進展しているが、東マレーシア地域の斯かる経済開発の動向は、我が国の民間企業の投資や貿易の展望とも深く関わっている。

この点、日系企業の間には、投資環境の分析や大型事業の入札情報の正確、かつ、時期を得た提供など、在外公館による積極的な支援への期待が見られているが、現況の領事事務所による支援と日系企業の期待との間には、落差が見られることである。（注・東マレーシア地域には、経済情報サービスに関わる政府系の行政法人事務所はない）。

③地元マスコミ報道の趨勢と影響

近年の我が国と東マレーシア地域との社会分野の関係で最も顕著な事象の一つは、地元マスコミによる我が国の国情紹介と日・マ両国関係に関わる件数と質の高い報道内容が減少の趨勢にあることである。

前述のマスコミ報道の趨勢には幾つかの複合した理由があるが、主な理由の一つは、現在の領事事務所の格と規模では、積極的、かつ、効果的な広報活動への取り組みが難しいことにあると推測される。

この点、惜しまれることの一つは、地域官民との絆に繋がる我が国官民の自然環境保護分野での活動の状況などが、広報のサブスタンスとしては、活かされていないように見えることである。

いずれにせよ、現状に見られる地元マスコミ報道の趨勢が続けば、東マレーシア地域の官民の我が国への理解と関心が低下し、結果、我が国の活動全般に間接的に影響することは不可避と思われる。

結びにかえて

在外公館の新設対象は、我が国の厳しい国家予算の下での候補先の優先順位の判断に基づくものと承知される。この点、コタキナバル総領事館の復活については、現状では、先ずは、我が国の日・マ両国関係者の間に『案件』としての認識が高まることが必要であると思われる。この点、本稿の内容が、関係者の間の案件の手掛かりと検討のための『たたき台』になるならば幸いである。

東マレーシア地域の日本人墓地
―墓碑の消滅と薄らぐ墓史―

（二〇一〇年八月）

はじめに

筆者は、本会報の拙稿の内容について、時折、読者の方からの感想や質問に接することがある。今般も、拙稿『サンダカンの墓を改めて読む』（一五一頁）との関連で、読者の方から東マレーシア地域の日本人墓地の特徴について質問が寄せられている。

以下本稿は、筆者が個々の質問に参考としてお答えした内容を、改めて読み易い体裁に纏めたものであるが、東マレーシア地域の日本人墓地の事情には、ご関心の方も多いと思われるので、本誌紙面をお借りして広くご参考に供する次第である。

日本人墓地の特殊事情

東マレーシア地域の日本人墓地には、半島部の墓地との対比を含めて二つの特徴がある。その一つは、温度と湿度が共に高く、墓地の土壌の侵食と墓石の崩壊の速度が早いことと、もう一つは、太平洋戦争末期から一九六三年のマレーシア成立を経て、日本国領事館が一九六五年にコタキナバルに開設されるまでの二〇年以上の間は、東マレーシア地域の墓地は、殆ど管理されないまま放棄されていた事情があったことである。

日本国領事館の開設時点で判明したことは、既に幾つかの墓地は消滅していたことと、残存していた墓地も殆ど壊滅状態にあったことである。この点、今日に見る墓地の景観は、一九六五年の状況を基として、以降何回か整理・修復を重ねてきたものである。

消滅した日本人墓地

サンダカンの邦人労働契約移民の墓地の消滅については、冒頭引用の拙稿に記しているとおりであるが、このほか、太平洋戦争期に邦人開拓移民がタワウ近郊のモステン、プランチアンとシンノンの三カ所に開設していた墓地も、戦後に周辺の荒廃化が進む中で消滅したものと見られている（踏査による確認はなされていない）。

また、ミリの市街地には日本人墓地があったことは資料によって知られているが、太平洋戦争末期の連合軍の空襲と戦後の都市復興計画の進展の中で消滅している。

今日の日本人墓地

今日、東マレーシア地域に位置する日本人墓地は、コタキナバル、サンダカン、タワウ（以上、サバ州）、クチン、ミリ（以上、サラワク州）とラブアン島（ラブアン連邦直轄区）の六カ所である。

以上六カ所の墓地のうち、一九八三年に開設されたミリ戦没者墓地を除く五カ所の墓地は、一八九〇代から一九一〇年前後の時期に開設されたものである。いずれの墓地も、開設の当初は『黙認墓地』であったが、日本国領事館が一九六五年以降に墓地の改修工事に着手した際に、州政府から改めて墓地使用許可書の交付を得ている。

墓地使用許可書の意義

前述の墓地使用許可書は、当該墓地の使用が法的に担保されている点において、日本人墓地の持続・管理の上からも重要な意味を有しているが、近年、実際にも、墓地使用許可書の効果が示された例があるので、今後の墓地管理の参考になるものと思われる。

その一つは、ラブアン墓地の事例である。ラブアン墓地は一九七七年頃にラブアン行政庁より都市整備計画に基づき移転・撤去を要請されたことがある。一九八二年になって、墓地立地としては最適なラブアン植物園の一角が移転先に配慮されて決着を見ているが（現在の墓地位置）、この間のラブアン行政庁の対応には、墓地使用許可書の存在が最大限に尊重されていたことが示されている。

もう一つは、コタキナバル墓地の事例である。二〇〇八年頃に、華人系住民の集団が、華人墓地に隣接する日本人墓地は、華人墓地の領域を不法に侵害しているとの抗議活動を行ったことがあったが、日本国総領事館の要請に基づき、コタキナバル市役所が墓地使用許可書を開示すると、華人系住民の抗議活動は沈静化している。

日本人墓地と邦人の足跡との関係

東マレーシア地域の殆どの日本人墓地は、既述の通り、墓石の消滅や損壊に対応し、何回かの補修・整備事業の実施を経て持続されてきたという状況にある。

従って、東マレーシア地域の墓地は、墓碑からは往時の地域の邦人の生活事情や足跡を辿ることは難しいが、この点、クチン墓地だけは例外的に墓碑が読み取れる墓石が多く、地域の邦人の歴史が読み取れる唯一の墓地になっている。以下、コタキナバルとクチンの両墓地を例とし、墓地の現状と邦人の足跡との関係を考察してみたい。

①コタキナバル墓地

コタキナバル墓地の開設時期は一九〇〇年頃と推定されているが、一九六六年と七五年の二回、改修工事が行われている。現存するのは、損壊し、辛うじて基底部分を止めた二〇基の小さな墓石と一九六六年の工事以降に他所より移されてきた二基の墓石である。従って、墓地の現状からは、邦人の足跡との関係は読み取れない。

この点、一九六六年の改修工事の時点において、墓石は既に殆ど損壊していた状態から推定すると、墓石は脆弱なものであったか、木の墓標も多かったと見ることができる。

一九〇〇年初期のコタキナバル地域の邦人事情に即すれば、墓石の殆どは契約労働者と『からゆきさん』のものと推測されるが、正確な判断には今後の研究が必要である。

②クチン墓地

クチン墓地の多くの墓碑が読み取れる背景は二つある。その一つは、クチン墓地（日本人会が一九一二年に開設）の墓石には、建立当初から堅牢な石材が使用されているものが多いことと、もう一つは、日本人会はクチン郊外各地の村落に散在していた邦人墓石を此の墓地に随時集約しているが、その都度、搬入された墓石の修復を行い、あるいは、墓碑を転記した新たな墓石に立て替えていることである。

現在、クチン墓地の墓石は四六基あるが、うち約三〇の墓石の墓碑が正確に読み取れる。墓石は『からゆきさん』のもの（と推定されるもの）や、中小ゴム園経営者、日沙商会職員及び同商会との稲作契約移民、陸軍司政官や軍属のものなどである。

なお、サラヮクと邦人の間の交流関係については既に水準の高い参考資料があるが、クチン墓地も、眼に見える我が国とサラワクとの間の歴史的関係を映す鏡になっている。

東マレーシア地域と太平洋戦争期への想い（二〇一九年四月）

―慰霊碑と記念碑の現況―

はじめに

東マレーシア地域には、我が国、英・豪両国と東マレーシア地域現地の政府・遺族団体などが、太平洋戦争期へのそれぞれの想いの下に建立した慰霊碑と記念碑が少なくないが、戦後七四年を経た現在では、我が国の日・マ両国関係者の間でも、これらのモニュメントについての理解と関心は、濃淡半ばしているように推測される。本稿は以上の事情も念頭に置き、東マレーシア地域に所在する太平洋戦争に関わる慰霊碑と記念碑の現況を簡潔に紹介したものであるが、ご参考になれば幸いである。

我が国の関係団体が建立した慰霊碑と記念碑

・ボルネオ戦没者慰霊碑（ラブアン島）

『ボルネオ戦没者慰霊碑』はラブアン島のラヤンラヤン地区の『ラブアン平和祈念公園』の中央正面に位置している。（注・厚生省資料によれば、ボルネオ地域の戦没者は九一九一柱。）慰霊碑の完工除幕式と入魂式は一九八五年四月一四日、また、平和祈念公園の我が国政府からサバ州への贈呈式も同日に行われている。慰霊碑と平和祈念公園の建設費は、日本政府負担分と民間企業の寄付や遺族団体の募金で賄われている。

爾来、ボルネオ戦没者慰霊碑はコタキナバル総領事館（現在は領事事務所）が管理し、また、ラブアン平和祈念公園はラブアン市役所の管理の下でラブアン島住民の日常の憩いの場として広く利用されている。なお、『戦後五〇年』に当たる一九九五年には、慰霊碑前において、幾つかの遺族・戦友団体主催による慰霊行事が営まれているが、同年を一つの区切りとし、近年では、参拝に訪れる邦人は少なくなっているように見える。

・ミリ戦没者慰霊墓地（サラワク州ミリ）

『ミリ戦没者慰霊墓地』はミリ地区のロバン岬に位置する。石碑の碑文には、太平洋戦争期に戦没したボルネオ燃料工廠職員、同配属部隊隊員と関係部隊隊員の霊を弔うために、有志一同（注・日本サラワク協会会員）が一九八三年秋の彼岸の日に建立と記されている。なお、一九九八年からはコタキナバル総領事館が管理を引き継いでいる。

・戦犯受難者慰霊碑（サバ州コタキナバル）

『戦犯受難者慰霊碑』はコタキナバル市内のエリザベス記念病院の近くの樹木に覆われた小高い丘の一角にある。銅版の碑文には、一九四七年九月、この場所において戦犯として処刑された八柱の霊を慰めるために、ボルネオ燃料工廠部隊と地区警備隊の旧隊員が一九九一年秋に建立と刻まれている。

・前田島由来碑（ラブアン島）

『前田島由来碑』はラブアン島の旧ラブアンホテル前の道路に沿った場所に位置している。大理石の前田島由来碑には、一九四二年九月五日、ボルネオ守備軍司令官の前田利為中将（当時）がラブアン島空港の開港式典に臨むためミリから飛行中に陣没したことを追悼し、日本軍はこの島を『前田島』と命名していたと記されている。

英・豪関係団体が建立した慰霊碑と記念碑

・英・豪軍受難将兵慰霊碑（サバ州ラナウ）

サバ州内陸部ラナウ地区の英・豪軍墓地が広がる小高い丘に英・豪軍受難将兵慰霊碑が建立されている。碑文には、一九四五年二〜六月、日本軍のサンダカンからラナウへの転進に伴う強制随伴の途中に死亡した捕虜将兵及び捕虜収容所に残留し餓死した将兵（注・約一七〇〇名）への追悼の辞が記されている。毎年六月、この慰霊碑の前で慰霊行事が行われている。

・英・豪軍受難将兵遺品展示施設（サンダカン）

英・豪軍捕虜収容所が設置されていたサンダカンには、前述の死亡した捕虜将兵の遺品を収集・展示した『英・豪軍受難将兵遺品展示施設』がある。施設が開設されたのは比較的に新しく、一九九六〜九七年である。

・豪軍戦死将兵慰霊碑（ラブアン島）

ラブアン島西岸の一角に、一九四五年六月のラブアン島上陸作戦で戦死した豪軍将兵の霊を悼む慰霊碑がある。

・サレンダーポイントメモリアル（ラブアン島）

ラヤンラヤン地区の一角が『サレンダーポイントメモリアル』（SurrenderPoint Ilemorial）と呼ばれる記念碑公園になっている。公園入り口には、日本語、中国語、英語とマレーシア語で記された案内板と、公園中央には、一九四五年九月九日、この場所において、太平洋戦争の日本軍降伏文書調印式が豪軍第九師団長と北ボルネオ日本軍第三七軍団司令官との間で行われたと英語で記された記念碑がある。なお、サレンダーポイントメモリアルはラブアン島のタウンマップにも凡例で表示されている。

現地州政府・受難者遺族などが建立した慰霊碑

・アピ事件受難者慰霊碑（サバ州コタキナバル）

『アピ事件受難者慰霊碑』はコタ キナバル国際空港に程近い公道沿いの一角に開設された慰霊公園の中央正面に位置している。慰霊公園と慰霊碑はサバ州政府と遺族などが 一九七九年に建立したものである。慰霊碑の碑文には、一九四三年一〇月一〇日のアピ（コタキナバル）蜂起事件の加担容疑者として、日本軍に一斉に処刑された者と刑務所で餓死に追い込まれた四一三名の犠牲者への追悼の辞と犠牲者全員の名前が記されている。毎年、一月二一日に州政府主催の慰霊行事が行われているが、当日の慰霊行事の模様は現地紙にも報じられている。

・華人受難者慰霊碑（サバ州サンダカン）

サンダカンの日本人墓地に向かう小路入り口の小高い丘に『華人受難者慰霊碑』が建立されている。碑文には、サンダカンの日本軍憲兵隊によって、一九四五年五月二七日、この地において処刑された華人住民三四名を追悼し、親族・友人が一九四六年九月に建立した旨記されている。なお、毎年、受難の日に当たる五月二七日には、慰霊行事がこの慰霊碑の前で行われている。

・中華民国領事慰霊碑（サバ州ケニンガウ）

サバ州内陸部のケニンガウ地区の一角に、日本軍憲兵隊によって一九四五年七月六日に処刑された中華民国サンダカン領事館の張領事ら四名の『中華民国領事慰霊碑』がある。この慰霊碑は、張領事らのこの地で受難の事実を知った地域の住民が一九四六年に建立したものである。爾来、慰霊碑は地域の住民によって管理されている。

第三章　サバ州との奥行きを読む

サバ州パーム油産業の事例に見る経済の活性化と自然環境の保護

（二〇一一年四月）

筆者は本年一月にマレーシアのサバ州東南端の都市サンダカンを一三年振りに訪れたが、筆者が今回のサンダカン訪問で戸惑いを感じたことは、木材産業衰退後のサンダカンが予想を越えた活気のある都市に再生していたことであった。

サバ州経済の切り札としてのパーム油産業

サンダカンの経済再生の切り札は、言うまでもなく、木材産業に替わるパーム油産業である。

この点は、サバ州財政収入におけるパーム油産業分野の占める比率が約三〇％（木材は約一〇％に激減）、また、輸出額ではパーム油が第一位（原油が第二位、木材が第三位）という事実が状況を如実に示している。

振り返って、サバ州、特に、サンダカン区とタワウ区における一九九〇年代の熱帯雨林の木材伐採跡地のアブラヤシ（オイルパーム）農園への転換は、州政府が木材資源の枯渇という状況に即応した対策であったが、パーム油産業がサバ州財政の落ち込みを短期間で救い、また、経済の活性化に繋がっている。

もともと、パーム油産業は半島マレーシアではマレーシア第二次五カ年計画（一九七一～七五）時期からアグロインダストリーの重要な分野として浮上していたが（当時筆者は『外航用パームオイル輸送船』二隻の円借款供与を担当）、近年、サバ州においてパームオイル産業が急速に拡大したのは、一九九〇年代後半の木材産業の衰退に際し、アブラヤシが収穫期までの成長が早い属性やパームオイル産業が裾野が広く、高い収益性と雇用効果の大きいこと等が、地場の企業家や現金収入の少ない個々の農家に歓迎されたからに他ならない。

サバ州の熱帯雨林とアブラヤシ農園の関係

さて、我が国内外の一部の環境問題の識者の間には、『アブラヤシ農園の開拓がサバ州の熱帯雨林の面積減少の主な理由の一つである』との見解が見受けられるようであるが、今回のサバ州訪問では、幸いにして、筆者は州政府係官による説明の機会を得た他、熱帯雨林地域に隣接するアブラヤシ農園の現場を何カ所か（サンダカン区とタワウ区）見学したので、事実関係から見た注釈をしておきたい。

即ち、サバ州政府統計資料に従えば、アブラヤシ栽培農地の確保を目的に新たに開墾された熱帯雨林や湿地原野は僅かな面積であること、また、今回の筆者の現場の見学においても、既存の熱帯雨林の新規開拓により開設したと見られるアブラヤシ農園の面積は僅かなものであった。

従って、環境問題の識者の指摘が、熱帯雨林伐採跡地をアブラヤシ栽培農地に転換したことが森林の再生可能面積を減少させたという意味であれば、確かに当を得た主張であるが、熱帯雨林を新たにアブラヤシ農園に開墾しているとの指摘であれば、熱帯雨林とアブラヤシ農園の接点付近の現場を見ていない者の観念的な意見であると言えよう。

サバ州におけるアブラヤシ農園への転換が抑制されたのは、サバ州政府の『持続的な森林経営」の理念と森林保護への総合的な施策の結果であるが、木材輸出価格の現状下では森林の再生コストを賄い切れないのも事実であるので、中・長期的には森林の『劣化』現象が進むことは不可避の状況にある。

エコ生産物としてのパーム油

今日、パーム油は石鹸、洗剤、化粧品、菓子類、薬品の素材や基材あるいは機械油として日常生活に広く使われていることは周知の通りであるが、パーム油が国際的に最も注目されているのは、実は、エタノール（混合ガソリン等としての用途）の含有量が大豆の約一三倍、トウモロコシの約三三倍という際立った高さである。また、殻は固形燃料、バカスは有機肥料としても商品化されている。

アブラヤシは、捨てる部分の殆どないことを含めて、日常生活と自然環境の保護に最も合致した植物の一つである。

パーム油産業の発展と自然環境保護の調和

サバ州の木材産業に替わるパーム油産業の選択は、経済の活性化と自然環境の保護とが同時的に達成された好個の例と言える。

サバ州のパーム油産業の今後の課題としては、技術イノベーションを含むダウンストリーム分野の拡充である。その一つとして注目されているのが、韓国企業連合が昨年一〇月にラハダトゥのパーム油企業集合施設に完成したバイオマス発電所であるが、発電原料がオイルパーム等のバイオマス、また、電力供給先が施設内のパーム油企業という資源循環型の施設になっている。

翻って、我が国では、サバ州の熱帯雨林の荒廃が我が国の木材輸入が原因であるかのごとき自己批判をする環境問題の識者がいたが、これら識者の最大の誤りは、当時のサバ州側の木材輸出の絶対的必要性という原因と森林荒廃という結果を混同したことであった。

現今のサバ州に見られるパーム油産業の進展と熱帯雨林の維持のバランスは、自然環境保護と経済の活性化、特に、地域住民の雇用機会の造出と所得向上とが、車の両輪であることを示している。

—余滴—

筆者がコタキナバル在勤時代にサラワク州を訪れる際の知人への手土産は、コタキナバルで購入した新鮮なキャベツであった。サラワク州では家族共々率直に喜ばれるのが実はキャベツなのであるが、サラワク州ではキャベツは生産されていないからである。

サバ州で収穫されるこのキャベツは、我が国の海外青年協力隊隊員が気候が比較的冷涼なクンダサン高地で辛苦の末に商品化に成功した『遺産』であるが、今や、そのキャベツはサバ州の観光ホテルの主要な食材の一つになっている。

サバ州を舞台とする小説の中の日本

―靄の中の史実と遺産―

（二〇一一年三月）

本稿では、サバ州（北ボルネオ）を舞台とする米国人アグネス・N・キース著の『風下の国』と『三人は帰った』及び華人系とカダザン族とのプラナカン・チナである山崎亜燕（アイン）著の『南十字星は偽らず』の内容を通し、現代史の中のサバ州と日本との関係を知る一つの参考にしてみたい。

アグネス・N・キース著『風下の国』と『三人は帰った』

『風下の国』

英領北ボルネオの自然と住民のことが欧米諸国の国民の間に一挙に知られるようになったのは、サンダカンの英国総督府の林業技師の妻、アグネス・N・キースが一九三九年にニューヨークで出版した『風下の国』（Land Bellow the Wind）であった。

女性らしい繊細な感覚のスケッチ入りで、北ボルネオの自然を描写し、住民の風俗や習慣に親しみと愛情をもって接したことが表現された『風下の国』は、文学的な視点からも優れたものであった。キース夫人を含む植民地官僚の家族と現地住民との親しい日常の描写が、当時の欧米諸国には新鮮な驚きを与えたことも、同書が広く読まれる理由になったようである。

『三人は帰った』

さて、キース夫人が太平洋戦争が終結した翌年にニューヨークで出版した『三人は帰った』(Three Came Home)は、同人が戦争勃発と同時に日本軍憲兵隊に敵性国人としてサンダカンの自宅で拘留され、以降は家族と切り離されて終戦に至るまでの間の日本軍占領下の北ボルネオとサラワクの抑留所での過酷な生活条件と屈辱の扱いを受けた体験が克明に書かれている。日付や人名は、日本軍監視の眼を盗んでトイレットペーパーに記録していたと記されている。

同書には『風下の国』と同様に作家としての非凡さが見られるが、内容は一貫して日本軍人の傲慢さと無教養ぶりが、憎悪の念及び安否の定かでない家族(三人)への思いとが交錯して描かれている。

著書『三人は帰った』は、キース夫人の名前は『風下の国』で既に著名になっていたことや戦後早々の出版であったことから、欧米諸国ではベストセラーになっている。

同書の内容が欧米諸国の読者に衝撃を与えたのは、全文の中では僅か一〇行に過ぎない北ボルネオの英豪軍捕虜の『死の行進』についての記述部分であった。

実は、日本軍の残虐な行為を記述した一〇行の部分は、当時、キース夫人自身はサラワクの敵性人収容所にいたので単なる伝聞または想像によるものであったが、この記述部分が、戦後の英豪軍捕虜遺族の心情や国民感情に誤解も含む強い影響を及ぼしたことは不幸なことであった。

サバ州と『風下の国』

サンダカン市内の小高い丘にキース一家が戦前に住んでいた家が観光モニュメントとして保存されており、また、『風下の国』というフレーズは、サバ州当局が州の代名詞として今日も使っているが、キース夫人がサバ州に残した偉大な遺産になっている。

山崎亜燕と『南十字星は偽らず』

回想録から見る山崎亜燕

山崎亜燕（アイン）著『南十字星は偽らず』は高峰美枝子主演の同名の映画にもなっているが、亜燕と夫・山崎剣二との数奇な人生のことは知らない方が殆どかも知れない。

『南十字星は偽らず』は、亜燕が華人系とカダザン系とのプラナカン・チナとしてサンダカンで過ごした少女時代から、日本軍政下のケニンガウの山崎知事の現地妻、そして、終戦後の日本で正式に山崎と結婚するまでの回想録であるが、亜燕の回想の核心となっているのは、知事の現地妻として過ごした数年間の生活の部分である。

山崎剣二と北ボルネオ

『南十字星は偽らず』の内容については、尾崎士郎も序文に述べているように、亜燕の回想の整理の上で重要な作用をしているのは、知事であった山崎の認識と解釈であったと思われる。

さて、山崎は静岡県選出衆議院議員の少壮政治家として知られていたが、太平洋戦争が始まると、議員の職を辞し、静岡県焼津港から焼津漁業開拓船団の船に乗り込みサラワクのミリに到着、知己の関係にあった北ボルネオ守備軍司令官の前田利為中将の推挙を得て、西海州内陸部のケニンガウ県知事(陸軍司政官)に任命されている。

山崎知事の理想と現地妻・亜燕の献身

ケニンガウの知事としての山崎の最大の業績は、ケニンガウからタンブナンに向かう山間の細道を一二・五マイルに及ぶ自動車道路として完成したことであった。

亜燕の回想には、道路建設の使役で不満の高まる現地住民の各種族に対し、山崎が現下の道路建設の目的は日本軍の軍用道路の確保であるが、いずれ戦争が終われば、北ボルネオの幹線道路として寄与することになる旨を力説し協力を求めていたこと、また、プラナカン・チナである亜燕自身は、苛酷な日本軍政と種族間の対立の板ばさみの中で知事である夫の身の安全を常に案じていたと記されている。

山崎剣二と亜燕の再出発と消息

山崎は終戦の翌年に現地妻の亜燕を伴って復員しているが、正妻の藤原道子（戦後第一回の参議院議員選挙において全国区最高得票数で当選）とは離婚している。『南十字星は偽らず』は、山崎と亜燕が正式に結婚したあと出版されたものである。

日本での身辺整理が済んだ山崎と亜燕は、新天地を求めてブラジルに移住し農園を経営していたが、山崎は健康を害して死亡している。亜燕は夫・山崎の遺骨をもって日本に帰っているが、以降の消息は不詳である。

遺産としての『ヤマサキ・ロード』

北ボルネオの戦後復興の切り札になったのは木材と天然ゴムであったが、ケニンガウ地区は物産の大量輸送の道路があったので、即時に復興の波に乗ることができている。

亜燕が山崎の言葉として記した通りであったが、完全な舗装道路として延伸された現在も、この道路区間は地域住民が敬意を込めて『ヤマサキ・ロード』と呼んでいる。

山崎と亜燕が残したのはロマンだけでなく、サバ州内陸部に道路という偉大な遺産も残したことになる。ただ、筆者が現地で調査した限りでは、ケニンガウ地区で亜燕のことを知るものはいない。少し寂しい気もする。

サバ州・周辺地域と邦人観光客の激減
―直行便路線の廃止が及ぼす影響―

（二〇一二年一一月）

地理的に最も近く時間的に最も遠いサバ州

筆者は本年九月にサバ州を訪れたが、成田国際空港発―クアラルンプール乗り継ぎ―コタキナバル国際空港着の所要時間は一一時間〇五分、また、同様経路の復路は一二時間五〇分であった。前回の羽田発コタキナバル着の直行便による所要時間は六時間三〇分であったので、前回との差は片道実に六時間前後になっている。

現今のアジア地域の空の交通が益々便利になっている状況に逆行するこの現象は、本年一月にマレーシア航空の羽田・コタキナバル便が廃止された結果である。

日本から東マレーシア地域への直行便路線は従来からマレーシア航空による単独運行であったので、マレーシア航空の直行便廃止が直行便のなくなるという状況に直結した次第である。

コタキナバルを直接の目的地にする場合において、日本からはクアラルンプールを経由しなくとも、仁川、釜山、台北、高雄、香港などで乗り継ぐ方法はある。だが、今回調べた結果、所要時間はクアラルンプール経由と概ね同様であり、また、出発便と乗り継ぎ便が同一航空会社でないので、今日では常識である航空料金の割安制度などの利点が受けられないという不利益がある。

コタキナバル直行便の廃止の影響は、日本からコタキナバルを直接の目的地とする旅行者だけではなく、コタキナバルを乗り継ぎ地とし、サバ州内の主要都市やラブアン島とサラワク州のミリなどを目的地とする旅行者にも及んでいる。

統計数字の示すサバ州への邦人観光客の激減

さて、本稿執筆時点において利用可能なサバ州外国人到着者統計は一～四月分であるが、サバ州への邦人到着者(殆どは観光客である)の数を見ると、二〇一一年の同期との比較ではマイナス二九・一%(人数は三二〇八名減)であり、特に、四月の落ち込みは大きく、マイナス四八・六%、即ち、約五割減になっている。

この統計が示す本年一月以降の邦人到着者の数の急落は、他には減少する顕著な理由はないので、コタキナバル直行便の廃止の影響であると推測するに十分である。

なお、サラワク州とラブアン島への邦人観光客にはサバ州旅行とパッケージにした観光客も多く見られていたので、コタキナバル直行便廃止の影響は相当にあると推測はされるが、現時点では、今後の推移を見て言及するのが適切かと思われる。

因に、日本国内の本年一月以降の主要新聞の海外旅行広告の頁(欄)をご覧頂くと直ぐに気付くことは、東マレーシア地域の大手旅行社企画のツアー・プログラムの広告があまり見当たらないことであるが、理由は推測されるところである。

直行便廃止と現地関係者の反応

筆者は今回のサバ州訪問において、日本からのコタキナバル直行便の廃止の反響について、在留邦人の数名の方とサバ州観光業界（旅行業者、ホテル、レストラン等）の方々から伺う機会があった。在留邦人の方々の反響には相当に深刻なものがあったが、他方において、サバ州観光業界全体としての反響は小さいとの印象であった。

後者の理由は明確である。既出の統計資料によれば、外国人全体のサバ州到着者の数がプラス一八・九%と順調な増加の趨勢が示されていることである。増加の中核になっているのが中国と香港からの到着者であるが、四五・六%増という突出した数字に示されている。因に、広州からも近く直行便が就航するようである。

直行便廃止の背景と復活への道筋

言うまでもなく、航空路線の開設、増便・減便や廃止は、本来的には当該航空会社の経営上の選択肢であるが、同時に、今日、空の便が二国間関係の活性化と深化のための重要なインフラであることも明らかである。

本邦とコタキナバルとの直行便の廃止は、長年にわたりビルトインされてきた航空便の消滅がもたらしている直接的な現在の影響だけではなく、日本と東マレーシア地域との関係の将来的展望へのネガティブな印象を内在させる要因にもなっている。

なお、マレーシア航空はコタキナバル直行便を廃止した理由は公表していないので、その具体的な理由は不詳ではあるが、経営上の得失の判断であったことは推測される。

この点、筆者は、コタキナバル直行便が廃止される数カ月前の当協会の会報において、当該路線の運行サービス改善を含むサバ州と日本との観光事業振興に関連する提言をさせて頂いているが、個人的な危惧が的中したとの複雑な思いもある。

仮にマレーシア航空による路線の復活、または、他の新規航空会社の乗り入れによる路線が再現される場合にも、長期的視点からの経済的フィジビリティの見直しに立った運行施策は必要不可欠であると思われる。

問題提起の所以

既に記したように、コタキナバル直行便の廃止はサバ州への邦人観光客の激減をもたらしているが、筆者は、現況が続くと、サバ州では本邦企業の新規の投資意欲を減退させ、本邦のＮＧＯやＮＰＯの活動意欲と邦人の「ロングスティ」志向、あるいは、民間レベルの文化交流活動も減速する可能性があると見ている。また、サラワク州とラブアン島にも、同様の若干の影響が生ずるのは必至と見ている。

日本側に生じ得るこうした結果が、東マレーシア地域の発展にとっても損失であることは自明の理である。但し、現況では、東マレーシア地域側の関係者が自らの政策課題であることに気付くかどうかは疑問である。また、現地在留邦人もアッピールできるほどの組織力には乏しいとの印象がある。

では、誰がイニシャチブを取るべきなのであろうか。筆者は、結局のところは、日・マ政府当局が、日本から東マレーシア地域への直行便がなくなったことを『相互の単なる不便の範囲』として理解するのか、あるいは、『日・マ両国関係の活性化と深化に向けての重要なインフラの一つ』であると認識するのかの相違が、直行便の復活実現のカギであると思っている。

＊（後記）その後、関空—コタキナバル線が二〇一二年一二月二〇日から運航再開されたが、二〇一三年一〇月二八日に運休、同日、成田—コタキナバル線が運航再開し、現在に至っている。

我がとサバ州とを結ぶ『きずな』

—邦人の善意と努力の結実—

（二〇一四年七月）

近年、サバ州の在留邦人の間には我が国とサバ州との関係の低下を憂う声もあるようであるが、確かに、表面的に見ると、中国と韓国の陰に隠れた印象がある。

この点、筆者としては、サバ州官民の心情に見られる我が国官民との強い『きずな』にも答えるべく、今後の協力関係の更なる発展を願っている次第である。

さて、筆者が『きずな』と敢えて記した所以は、筆者がサバ州政府高官やサバ州住民との懇談の際に先方から話題に持ち出すのが、我が国官民が参画した幾つかのプロジェクトへの高い評価であることによるものであるが、サバ州官民の間では、邦人の善意と努力の結果が我が国の『イメージ』になっていることは確かなところである。

以下の内容は、サバ州官民の間で話題に上ることの多い邦人が参画したプロジェクトの一部を紹介したものであるが、本稿の内容がサバ州事情の理解と今後の日・マ両国間の多様な協力関係を進めていく上において、何らの参考になることがあれば幸いである。

マムート銅鉱山跡地と『菊』の栽培

熱帯圏での『菊』の栽培と言うと、黄菊や白菊の花に秋冷な気候をイメージする我々日本人にとっては意外感のある方も多いかと思われる。

さて、我が国のS金属鉱山（株）がサバ州内陸部のキナバル山系南端に位置するマムートの銅鉱山の採鉱事業を開始したのは一九七〇年代の初期であった（我が国の戦後の海外鉱山開発第一号案件）。以降、銅鉱採掘の事業自体は順調に推移していたが、可採埋蔵量の枯渇などにより一九九〇年代に閉山の止むなきに至っている。

この点、S金属鉱山(株)は撤収に際し、鉱山跡地の自然の回復と地域住民の雇用確保という視点に立ち、鉱山跡地の土壌に改良を施した上で『菊』栽培の大規模農園に転化し、菊栽培の農園に勤務を希望する者は雇用するという計画を練っていた。

幾つかの候補作物の中から最終的に菊が選ばれたのは、年間気温が海岸平野部に比し六—一〇度低いこと（マムート地域は海抜一二〇〇m）、豪雨がなく霧雨であることや土壌の水捌けなどの適地性と、菊はマレーシア国内で高い需要が見込まれるとの商品性からの判断であったとされている。

今日、サバ州を初めとし、マレーシア国内の主要都市のフローリストで見られる各種の菊は、マムート鉱山跡地の農園と周辺農家で栽培されたものである。

マムート銅鉱山の閉山から約二〇年、サバ州の官民の誰もが思いも付かなかった菊の栽培が邦人企業の創意と努力で実り、今日ではマムート地域の農民の生計基盤をなしている他、マレーシア住民の生活にも潤いを与えている。

サバ州特産の高原キャベツ

近年、マレーシアの都市部の市場には新鮮なキャベツが見られているが、タイ北部のチェンマイ産のものもあるが、その多くはサバ州産のものである。

実は、キャベツがサバ州で栽培されるようになったのは近年のことである。キャベツが生産されているのはキナバル山麓を間近にする高地の緩やかな傾斜地帯である。

以前は自給自足型であったこの地域の農家を対象とし、キャベツ栽培を導入したのは、サバ州の村落開発を担当した海外青年協力隊の一九八〇年代の二代にわたる隊員であった。

キャベツが商品作物として成果を得るまでには、当初は栽培方法自体を初めとし、収穫物の市場開拓や輸送方法などの幾つかの難題もあったとされているが、最終的には、現金収入の少ない地域農家の意欲がキャベツ栽培の普及に繋がっている。

近年、キャベツはコタ キナバルの主要ホテルのレストランでは必須の料理素材になっているが、『サババジ』と共に、サバ州特産野菜としてもマレーシア国内で広く知られる存在になっている。

農村開発指導者の人材育成

『農村開発指導者育成研修センター』という施設が内陸部西端に位置するテノム市の一角にあるが、この研修センターの施設と機材一切は、一九九八年に我が国のNGOであるOISCAがサバ州政府に寄贈したものである。

今日のサバ州政府の農林業部門の中堅職員や農業改良普及員と指導的な自営農家の多くはこの研修センターの終了生であるが、OISCAの遺産がサバ州の農業の振興と農民の生活の向上に大きな役割を果たしていることになる。

この点、筆者が興味深く思うのは、OISCA研修センター時代の研修計画の柱になっていた『精神面の教育指導』(『日常的な習性』を越えた職業上の使命感と責任感)が、現在のセンターの研修内容においても引き続き重視されていることである。

手傷を負った大型野生象と安全な輸送用の檻

サバ州政府野生動物保護局が長年の間難渋していたのは、熱帯雨林の周辺で手傷を負った大型野生象の発見地点から収容施設に移送する車両には、重量の暴れる象を制御し安全に輸送できる『檻』がないことであった。

この話を伝え聞いた北海道所在の動物園の専門家グループは、北海道とサバ州の現地の間を往来し改良を行った檻をサバ州政府野生動物保護局に寄贈している。寄贈された檻の抜群の安全性は既に実証を経ているが、邦人の善意は広く話題になっている。

オランウータンの綱渡り用消防ホース

サバ州での経験に富む我が国のある環境NPOは、我が国の消防署で破棄処分になった消防用ホースのオランウータンの綱渡り用への活用（熱帯雨林の渓谷両岸の群れの移動）の実証者として高く評価されている。

サバ州関係者の間では、我が国NPOが実証した消防用ホースのオラン　ウータンの綱渡りへの再活用は、日常の発想からは思いも付かない試みであると共に、資源のリサイクルと調達コスト・ゼロにも繋がることから注目されていたが、現在では、州内で廃棄処分になった消防用ホースが、既に、各地のオラン　ウータンの野生復帰訓練施設での訓練用や熱帯雨林の小渓谷間の渡り用として使われている。

サバ州東海岸地帯と治安状況
―広角な視点からの理解が必要―

（二〇一六年八月）

はじめに

筆者は、時折、当協会の会報読者を含む方々からマレーシアについての質問に接することがあるが、最近の数カ月に寄せられた質問の殆どが、外務省の海外渡航情報の『サバ州東海岸地帯などの地域』の安全状況に関連するものであった。

質問の内容は、当該地域が『レベル３・渡航中止勧告』になっている政治的・社会的『背景』を詳しく知りたいというのが趣旨である。

この点、質問の趣旨に沿うための切り口は幾つかあるように思われるが、概括的な理解の切り口としては、サバ州と隣接諸国の地域との地理的関係を軸とし、サバ州との実際の関わりが示されている事例から洞察することは、一つの確かな方法と思われる。

本稿の各節は、以上の見方に即した内容を含んだものであるが、ご質問を頂いた方を含めて読者の方々のご参考になれば幸いである。

サバ州の地理的位置と治安から見た関係

最も重要な視点と言えるのは、サバ州と隣接諸国の地域との地理的な関係である。即ち、サバ州の東南部は、スールー海の多数の島伝いにフィリピン西南部と接し、インドネシアとは東カリマンタン州とは直接に陸路で国境を接している他、セラウェシ島とも小島伝いに面していることである。

サバ州のこの地理的位置が、現状では、サバ州への密入国や木材などの密貿易を容易にしている。マレーシア連邦政府とサバ州の治安当局は沿岸を中心とし警戒を厳重にしているが、犯罪行為を効果的に抑止できない理由としては、この地域の地形が入り込んでいることが挙げられていると共に、フィリピン当局とインドネシア当局との間の協力関係もハードルが高い実践課題になっているようである。

同時に、サバ州自体を含むこれらの地域の特徴の一つは、住民には低所得層が多いことや住民の間には、種族、宗教や言語などが類似し、相互に親和性が見られることであるが、斯かる社会的・文化的事情が、犯罪集団や『過激派』の連携活動を容易にする環境にもなっていると見られている。

不法就労者の正常化計画と現況

顧みて、近年のサバ州の長期にわたる内政の主要課題の一つは、上述の隣接諸国の地域からの不法就労者の正常化であった。不法就労者の問題が浮上したのは、一九八〇年代期央からの木材産業の急激な衰退に伴い、サバ州の人口の約二割を占めていたフィリピンとインドネシアからの不法就労者の存在が、本来の住民の就労機会の圧迫と社会的不安要因として認識されるようになったことによる。

この点、当初は難題と見られていた不法就労者の正常化計画は、本国に強制的に送還される対象者を除く不法就労者の大多数が、木材産業に代わるパームオイル産業の拡大計画に必須であるオイルパーム農園労働者の供給源として、農園経営者との雇用契約を経て就労するという形で、二〇〇〇年初めの時期までに一応の達成に至っている。

前述の如く、不法就労者の安定化の課題は不法就労者のオイルパーム農園への吸収という形で落着しているが、この間の推移には、サバ州の経済・社会構造が隣接国の地域の人的資源に依存していることが示されている。

東マレーシア地域と『東アセアン成長の三角地帯』

既述のように、サバ州と隣接諸国の地域との間には複雑な関係があることが示されているが、斯かる事情の一方、注目されるのは、サバ・サラワクの両州を含む当該地域を一体とした地域間経済協力のプロジェクトが、一九九〇年後半の時期から進展していることである。

即ち、『東アセアン成長の三角地帯』（ＥＡＧＡ）を理念としたブルネイ、インドネシア、マレーシアとフィリピン（ＢＩＭＰ）の間における所謂、『ＥＡＧＡ―ＢＩＭＰ経済協力構想』であるが、既に、多数の合弁プロジェクト（水産、オイルパーム事業など）が実施されている。

斯かる経済協力事業の進展は、サバ州東海岸地帯などの地域の犯罪発生にも間接的な抑止効果が期待されているが、効果は長期的な視点から見る必要があると思われる。

サバ州と地政学的な視点

以上述べた諸点は、サバ州東海岸地帯など地域の安全状況の背景には、スールー海とセラウェシュ海の周辺の海・陸の治安状況及び過激派の動静などが互いに深く関わっていること、即ち、地域の状況を一体として見る必要性があることを示唆している。

更には、マレーシアが領土権を主張し、かつ、実効支配している南シナ海のスワロー礁（Pulau Layang-Layang）は、コタキナバルから約三〇〇ｋｍの距離に位置し、また、南シナ海の米軍拠点であるフィリピンのパラワン島の西端は、サバ州北東部のクダットとは指呼の位置にあることは、今後の参考にする必要があるように思われる。

我が国では、従来、サバ州の斯かる地政学的な視点に関わる見方は殆どなかったと思われる。だが、近年のアジア地域の情勢の推移と我が国の安全保障の観点に照らせば、サバ州の南シナ海と東アセアン地域を対象とした情報収集の立地性を高めているとも言える。

この点、サバ州東海岸地帯などの地域の安全状況の背景は、必ずしもマレーシアの局地的な問題ではないことが浮かんでくると共に、日・マ両国間の情報共有の必要性が示唆されている。

結びに代えて

サバ州東海岸地帯などの地域において、隣接諸国の地域からの集団による犯罪の事例が目立つようになったのは二〇〇〇年代からである。幾つかの要素、例えば、経済発展に伴う貧富の差の拡大、特定組織の勢力の誇示や国際的な影響などが複合したものと見られているので、当該地域の治安が回復されるには、時間を要するものと見られる。

他方、念のため記しておきたいことは、『渡航中止勧告』が対象としているのは、サバ州の既述の一部地域だけであって、サバ州全体ではないことである（もとより、一般的な意味での海外旅行に伴う十分な留意が必要なことは当然である）。

サバ州とカダザン族との関係
―伝統文化と生活環境から読む―

（二〇一七年一月）

はじめに

マレーシアの各州の中で民族・種族の数が最も多いサバ州において、人口比率が最も高く、かつ、特有の伝統文化が見られるのが『カダザン族』である（人口約六五万人、人口比率約三五％：二〇一五年現在）。この点、サバ州事情を理解するには、カダザン族の社会と文化を知ることが必要であることを示している。

なお、カダザン族はマレー系民族の中では原マレー系（Proto-Malay）に属し、半島部の今日のマレー系住民とは系譜を異にしているが、同じマレー系民族の間の文化の態様の比較の上からも興味深い点を含んでいるように思われる。

本稿は、前述の視点に即し、カダザン族の伝統文化・社会の特徴と生活環境を含む全体像を紹介したものであるが、本稿の内容がカダザン族とサバ州事情の理解の一端に寄与するならば幸いである。

サバ州とキナバル山との関係

カダザン族とサバ州の関係を知る上で先ず触れておきたいのは、キナバル山の『キナバル』の語源である。民話に基づく幾つかの説があるが、一般的には、カダザン語の Aki-Nabalu に由来し、キナバルとは『父祖の霊が眠る場所』を意味すると理解されている。この説を裏づけるものとしては、カダザン族の過去の慣習であった当該山域での風葬儀礼が挙げられている。

この点、キナバル山とサバ州住民全体との心情的な関わりを示していると思われるのが、サバ州がマレーシアの一州として加盟のあと、州都の名称を『キナバル山の砦』を意味する『コタ キナバル』に改名していることと、新たに制定されたサバ州の州旗には、デザイン化されたキナバル山が用いられたことである。多民族・多種族社会のサバ州のアイデンティティーの所在を内外に表明したものとも言える。

カダザン族の生活環境と文化的諸元

今日、カダザン族の生活圏はサバ州全域に広がっているが、その多くは、発祥の地であるクロッカー山脈（キナバル山は東端に位置）の周辺の盆地と高原地帯に住んでいる。

キナバル地域と呼ばれるこの地域の気候の特徴は、年間平均気温が海岸低地部と比して五～八度低く、気温の高度差と植生の変化の関係が顕著に見られている。

都市の規模は地形の制約で小さく各地に点在している。地域の主な産業は稲作を主とした農業や木材産業であるが、高原地帯では野菜類、花卉や果樹の栽培が行われている。

カダザン族の食生活で興味深いのは、コメを原料とした醸造酒（アパイ）が作られていることと、大豆を原料とした納豆と豆腐が日常の食品になっていることであるが、いずれも、サバ州の他の原住民種族の生活慣習には見当たらないものである。

カダザン族の信仰には、英国保護領時代に布教が広まったキリスト教と土着の精霊崇拝の混融が見られる。言語は、カダザン族の多くは、カダザン語とマレーシア語の両方に通じ状況に応じ使い分けている（カダザン語の日刊紙も発行されている）。

なお、カダザン族は多くの歌謡や踊りなどの伝統芸能を継承しているが、カダザン族が古くからの農耕種族であったことが読み取れるものが多い。

道路の整備と生活環境の変化

既述のカダザン族の特徴的な文化を育んできたキナバル地域は、経済発展の視点からは低地海岸部に比して遅れた地域であったが、近年、域内を通るコタキナバルとサンダカンの両都市とを結ぶ道路網の整備が進んだことに伴い、住民の生活環境の利便と共に、住民の所得も一段と向上が見られている。

その一つとしては、地域の冷涼な気候に着目した高原野菜（キャベツやサバベジ）、花卉（菊）や果物類が都市部に鮮度を保ったまま供給が可能になったので、農業分野に新しい展望が開けてきたこと、もう一つは、キナバル山麓周辺の内外の観光客の増加に伴い、住民の間には観光関連分野に就労する者が増えてきていることである。

斯かるカダザン族の生活環境の変化の趨勢が、カダザン族の伝統文化に如何なる変化を及ぼしていくかは興味深いが、現況では目立った変化はないように見える。

カダザン族と国勢調査の区分との関係

カダザン族は概して外界の摩擦とは無縁に過ごしてきた種族集団（エスニック・グループ）のように見えるが、過去の国勢調査の種族集団の区分表を辿ると、カダザン族からは二つの種族集団が分離・区分されていることに気づく。

その一つは、一九五〇年の国勢調査からは、『キナ カダザン族』（シナ ネイティブ）と記された種族集団が新たに区分されていることと、もう一つは、従来『カダザン－ドゥスン族』と並列的に標記・区分されていたのが、一九九〇年の国勢調査からは、『ドゥスン族』が分離されて新たな一つの種族集団として扱われていることである。

だが、今日も、キナ カダザン系とドゥスン系住民の多くは、カダザン族と生活慣習や年間行事などを共有していることから見ると、上述の国勢調査の分離・区分には、政治的判断が優先し、アイデンティティーの視点からは乖離があるように見える。

余滴

さて、カダザン族を知る上での貴重な参考になるのが、堺誠一郎著の『キナバルの民―北ボルネオ紀行』（一九四三年　有光社発行、復刊：中央文庫Ｍ５２）ではないかと思われる。本書の内容は、作家である著者が一九四二年に陸軍報道部派遣の嘱託記者としてケニンガウ県の山崎剣二知事に同行し、キナバル各地の草深いカダザン族の村落を馬で二週間に亙って訪れた際の観察と感想が記されたものである。

キナバル地域の詩情豊かな自然とカダザン族の素朴な日常生活の描写の中に、著者のカダザン族に寄せる心情が伝わってくる。同時に、日本軍の軍政の実情に対する批判的な眼差しが随所に注がれていることも読み取れるが、著者の旅程が陸軍当局の委託事業であったことを思えば、作家としての気骨が伝わってくる。

この点、今、キナバル地域を訪れると、著者が描写している往時のキナバル地域の風情が、ススキ（薄）の群生を含めて各地に多く残されていることに感慨を覚えるが、同時に、視界に写る山裾のリゾートホテルやコテッジの景観と各地の市場の活気は、七〇数年前にはなかったことにも気づき、改めて時の流れを感じさせられる。

タワウ市との一一〇年に亙る『きずな』

―市内五つの道路に邦人の名称―

（二〇一八年一月）

はじめに

我が国の日・マ両国関係者の間においても、我が国とサバ州の西南端に位置する人口約二〇万人のタワウ市との間には、約一一〇年に亙る強い『きずな』があることを知っておられる方は、少ないように思われる。

タワウ市とのきずなとは、二〇世紀初頭に始まる邦人によるタワウ開拓と農園事業の構築が、今日のタワウ市全域の経済・社会の発展の基盤になっていること、他方、タワウ官民の間には、今日も、邦人開拓者の貢献を偲ぶ深い心情が見られる状況である。

本稿は、斯かるきずなの背景と内容を具体的に紹介するものであるが、日・マ両国の親善関係及び国際交流の意義を理解する上での参考になれば、幸いである。

邦人開拓者とタワウの開拓事業

英領北ボルネオの未開の地域であったタワウ地区には、既に一九〇〇年頃には個人経営の邦人農園が進出していたが、邦人企業による農園事業が本格化したのは、一九一〇年前後の久原鉱業（株）出資の久原農園の進出と、次いで、三菱系の窪田農場の進出によっている。

タワウ開発の中核になった久原農園の事業は、一九一六年、英領北ボルネオ特許会社からゴム栽培地六〇〇エーカー及び隣接する一五〇〇エーカーの広大な原野を租借し、ゴムの生産・加工及びココナッツとコプラの栽培に始まっているが、第一次世界大戦期と直後の世界的な好景気も幸いし、事業は順調に発展している。また、この間、窪田農園と個人経営の農園の事業も同様な成果を収めていた。

一九三〇年には、久原農園は租借地を一挙に拡大し、マニラ麻（Abaca）の栽培に着手しているが、久原農園のマニラ麻製品は国際的なブランド商品として知られるようになっている。

久原農園は一九三七年に社名を日産農林に改称したあと、タワウの奥地に入植事業を展開するための契約移民方式を導入しているが、この結果、日産農林の事業地域はタワウ奥地のモステン、プランチアンとシンノンの各地域にまで広がっている。

著書から見る邦人開拓者への評価

タワウ出身で連邦政府のタワウ税関長を務めたアンワール・スリヴァンは、著書『サバ州の歴史回顧』の中で、日本軍の占領統治が始まる一九四二年一月時点の邦人企業の農園面積は、二万五千エーカー、また、現地雇用者と家族は一万二千人に達していたと記し、邦人企業がタワウの開発に果たした実績を高く評価すると共に、邦人企業の病院が地域住民にも広く開放されていたことなどを例示し、邦人と地域社会の共生関係も評価している。

太平洋戦争と邦人開拓事業の終馬

少し前後するが、太平洋戦争が勃発すると、タワウの邦人経営の農園は国策事業として新たな役割を帯びると共に、特需によって一時的には活気が高まることになったが、我が国の敗色が濃くなると、タワウの邦人農園を巡る事情は一変している。

即ち、一九四四年からは、邦人男子の現地召集によって農園の維持が難しくなったことであるが、四五年一月以降は、婦女子を初め邦人全員がタワウ日本軍守備隊の撤退と行動を共にし、結果として、邦人農園は放棄されるに至ったことである。

邦人農園の跡地復活と今日のタワウ経済

戦後のタワウ地区の再建は先ず荒廃した邦人農園跡地の再生に始まっているが、以降のタワウ地区は、サバ州最大の農産物生産地として知られるようになると共に、近年では、オイルパーム産業がサバ州の経済全体の牽引力になっている。

タワウ住民と邦人開拓者に寄せる心情

顧みて、邦人農園の終焉から七〇年余になるが、注目したいのは、今日も、タワウ官民の間には邦人開拓者の貢献に寄せる強い心情が見られることである。ここでは、筆者自身が一九九八年と九九年にタワウ市を訪れた際に知り得た二つの事柄を、紹介しておきたい。

●タワウ市内の道路と邦人の名称

タワウ市内には、邦人の企業と個人名を冠した道路が五つと公園があるが、具体的には、タワウ国際空港と市内中心部を結ぶ幹線道路の『久原道路』（Jalan Kuhara）の他、『日産農林道路』、『窪田道路』、『前田小路』（Lorong Maeda）、『山本医師小路』と『富士公園』（Taman Fuji）である。（今日のタワウ市街地地図で簡単に確認できる。）

当時のタワウ市長の説明によれば、久原道路の名称は、一九七〇年代にこの幹線道路が完工した際、タワウ市議会が往時の久原農園の貢献を偲び命名したものである由、また、他の道路の邦人名称は、一九七〇年代の都市計画審議の際、市議会が住民の戦前に馴染んでいた呼称を尊重し、道路名称として公式に承認したものとのことあった。

●邦人寄贈の時計台

一九九八年当時のタワウ市役所の前庭には時計台があった。タワウ市長の説明によれば、この時計台は、一九一八年にタワウの邦人有志が第一次世界大戦の終結を祝い、当時の英国総督府に寄贈したものであるが、戦後に、タワウ市役所が引き継いで以降は、邦人の善意に思いを馳せ、時計台の外枠は新築し、時計本体の方は修理や部品の交換を何回も行い、大切に使用してきたものとのことであった。

顧みて、タワウ市役所のこの時計台は、一九九八年に筆者がタワウ市役所を訪れた際には、既に八〇年の時を刻んでいたことになるが、（未確認ではあるも、）仮に、この時計台が今日も使われているとすれば、今年は正に一〇〇年目に当たることになる。

補足

本稿に記した我が国とタワウ市との深いきずなの関係は、我が国と諸外国の都市全体との関係から見ても希有な事例であることは言うまでもないが、この点、惜しまれるのは、足元の日・マ両国関係を含めて、我が国の外国との親善関係の事例として広報のサブスタンスに全く活かされていないことである。

幻に終わった英領北ボルネオ購入事案
―欠落した外交史料の背景を読む―

（二〇一八年一一月）

はじめに

外務省外交史料館には、我が国政府の英領北ボルネオ（現在のサバ州）の領土権購入意志の有無の紹介に関連する事案ファイルがあるが、本件ファイルには、幻に終わった一八九〇年代期央の外交事案としての幾つかの興味深い示唆が含まれている。

本稿は、筆者が前述の史料について過去に大学の紀要と著書で発表した内容を改めて簡潔に紹介したものであるが、外交史料としては数少ない我が国と英領北ボルネオとの関係資料の一つとして、お読み頂けば幸いである。

青木駐ドイツ公使からの請訓公電

本事案のファイルは、青木周造駐ドイツ特命全権公使から陸奥宗光外務大臣宛、一八九三年（明治二六年）一一月七日付公電の『帝国政府は英国北ボルネオ特許会社の領土を英貨五〇万ポンドで購入し、現地に日本人の入植地を開く意志ありや。もし開く意志があれば、本使は当該領土の主権委譲について英国政府と交渉する。当該領土は日本の約三分の一である。早期の決断を要する』との内容に始まっている。

請訓に対する政府の対応

青木公使の請訓に接した陸奥外務大臣は、即時、伊藤博文内閣総理大臣宛に文書をもって、本件は重大な事案につき、閣議に付し指示を得たい旨の要請を行うと共に、翌日には、『北ボルネオの沿革』と『北ボルネオの現状』と題した二つの閣議請議資料が提出されている。政府の初期対応には斯く迅速なものがあったが、本件最初の閣議における審議内容がどのようなものであったかを示す記録文書は見当たらない。

従って、内閣としての本事案に対する対処方針は推測するほかないが、以下の外務本省と在外公館との間の関係公信から推測すると、閣議では（あるいは、閣議は開かれずに主要閣僚間の協議に基づき）、青木公使を含む関係在外公館長からの関連情報収集を行った上で、慎重に判断するとの判断になったことを伺わせている。

関係公信と内容

①青木公使発

一八九三年一二月五日付公信

本公信は既述の一一月七日の公電内容の委細と意見具申であるが、長文になるため公信（文書）形式にした部分と言える。本公信は、外務本省には当時の船便の事情で翌九四年一月一九日に到着している。

公信の内容は、英国北ボルネオ特許会社の経営内容は同社株主の期待に反した状況にあるため、経営理事会は売却の意向に傾いていること、英国政府も北ボルネオの領土主権を譲渡する可能性は高いと見られるとの状況分析に触れたあと、日本政府の英領北ボルネオの領土権の購入は、当初数年間は当然に相応の出費が予想されるも、帝国の将来の発展に寄与するものと思量されるので、英領北ボルネオ領土権の購入について詮議を賜りたいとなっている。

②青木公使発

一八九四年二月五日付公電（追電）

公電の内容は『英領北ボルネオの領土権は、歴史的経緯に照らし、オーストリアのオーフェルベック男爵より銀貨一〇〇万円で購入すべきである』との購入相手方の変更を要請している。

③関係在外公館長への内訓

外務本省は中川在香港領事など関係在外公館長に対し、一八九四年二月二三日、『英国北ボルネオ特許会社には北ボルネオを売却せんとする情報があるが、同社が其の領有地の売却を望んでいるのかどうかを調査し、参考事項と併せ報告すること』との内訓を発出している。

この内訓は、外務本省としては、事案の重大性に鑑みて、領土権の購入相手を含めて出来るだけ多くの情報を収集し、慎重に判断したいとの意向を伺わせている。

④大越在上海総領事からの報告

外務本省からの内訓に対する中川在香港領事からの報告公信は事案ファイルの中には見当たらないが、大越在上海総領事からは一八九四年三月二四日付報告公信がある。

公信の趣旨は、『英国北ボルネオ特許会社は経営不振の状況にあるが、日本政府が同社の株券額面五〇万ポンドに対し、年五％の配当金を支払うことを保証するか、または、日本政府が五〇万ポンド全額の一括払いに同意するとの条件を提示すれば、土地及び管轄権を譲渡するものと見られるとし、英領北ボルネオの領土権を買収するのは今が最適な機会であると思量されるので、政府当局のご詮議を願う次第である』となっている。

意外な事案ファイルの結末

さて、少し不思議に思えることは、青木駐ドイツ公使からの公電に始まる本事案のファイルには、日本政府部内における英領北ボルネオ領有権の購入についての検討の結果（結論）を示す公信や書簡は含まれていないことである。

この点、唯一の手掛かりとなる資料としては、大越在上海総領事の報告公信の末尾の位置に『注』と記し、カタカナ文字のペン書きで、『右北ボルネオ買収ノ件ハ東西ヨリノ熱心ナル勧説ニモ関ワラズ、当時ノ我ガ国ノ情勢未ダニ熟セザルモノガアリ、沙汰止ミトナレリ』との記述がある。

この『注』は、外交文書記録の編纂監修者がファイルの不備に配慮し、検索者の便宜に資するために付記したものであるが、結局のところは、日本政府が英領北ボルネオ領土権の購入を見送った判断が何に基づくものであったのかは、不詳のままに終結した結果になっている。

結びに代えて

前述の次第のとおり、日本政府が英領北ボルネオの領土権購入の判断を見送った理由については推測するほかないが、背景としては、次の二つの事情が推測される。

即ち、その一つは、一八九三 - 九四年当時は、日本政府としては、清朝（中国）との緊張関係で戦費の確保が最優先課題になっていたことと、もう一つは、外務本省としては、北ボルネオの領土権の購入支払いの相手として、青木公使が要請してきているオーフェルベック男爵とすることには疑義を有していたので、審議の姿勢が自ずと消極的に推移したと見られることである。

英領北ボルネオと邦人の大規模入植計画
―外交史料に表れた事案を読む―

（二〇一一九月一月）

はじめに

外務省外交史料館で閲覧できる英領北ボルネオ（今日のサバ州）と関わる外交史料としては、会報前号の拙稿で紹介した事案ファイルの他に、稲田信之助なる人物による英領北ボルネオへの邦人の大規模入植計画について、我が国政府当局と英国北ボルネオ総督府が懸念を共有したことを示した事案ファイルがあるが、本事案ファイルも英領北ボルネオとの関係を知る上での参考になると思われるので、概要をご紹介する次第である。

稲田信之助と邦人の大規模入植計画

本事案は、一八九三年四月一二日付斉藤在シンガポール領事発、林外務事務次官宛の半公信（注・『公信』と『事務連絡』との中間扱いに位置する文書）に始まっている。

即ち、同半公信は、『シンガポール在住のホテル経営者で稲田信之助なる人物が面談を求めてきたが、稲田によれば、英領北ボルネオ総督府と交渉し、既に、サンダカン湾沖合のティムバン島の六千エーカー（注・一エーカーは約四〇四七平方メートル）の土地の借地権を取得している旨述べたあと、現在、この借地権を利用し、邦人を入植させる計画を進めようとしているが、入植する邦人三五〇名に要する事業資金は、これから日本に一時帰国して知己の岩本千綱という者から調達する予定であるとの由である。

この点、稲田信之助は当地での信用度には疑問がある人物なので、稲田のティムバン島への邦人入植計画が、本邦において第三者に対し不測の被害を与える可能性もあるにつき、本省に参考までに報告するものである』との内容になっている。

英領北ボルネオ・クレー総督からの書簡

本件稲田信之助のティムバン島への邦人の入植計画については、英領北ボルネオ・クレー総督も不安をもっていたことが示されている。即ち、クレー総督は一八九三年四月二四日付陸奥宗光外務大臣宛書簡をもって、『英国総督府としては、稲田信之助の入植事業計画の通りに日本人三五〇名を一挙に入植させることは無謀であるので、段階的に進めていくことが必要と判断している。ついては、日本政府から以上の事情を稲田信之助に伝達し指導を願いたい』と要請してきていることである。

陸奥外務大臣の返書

前述のクレー総督の書簡に対する陸奥外務大臣の一八九三年八月一一日付回答は、『日本政府は邦人の外国移住については個人の自由に委ね干渉しないとの立場ではあるが、稲田信之助への転達要請については、本人とは本邦においては接触できなかったので、在シンガポール領事を通じ示達する』と述べている。

サンダカン在住の英国人実業家からの書簡

稲田信之介のティムバン島の邦人入植事業計画については、サンダカン在住の英国人実業家のH・S・ヒューズという人物からも、大隈重信前外務大臣に対し一八九三年八月一日付の書簡で、『北ボルネオは日本人の開拓・移住に適しているが、実際の入植計画は段階的に進めることが必要であるので、稲田信之助に対しは、この旨をご教示願いたく、また、日本政府が自分を現地代表者に任命して頂けば、日本人移住者に最善の便宜を与えることができるので、ご考慮を得たい』との要請が寄せられている。

林外務事務次官の回答

このヒューズ書簡に対しては、一八九四年二月一六日付林外務事務次官名の書簡をもって、稲田信之助は所在不明のためご要望は伝達できなかった旨、また、申し出のあった日本政府の現地代表者の任命は目下のところ考慮外である、との回答がなされている。

本事案ファイルの内容と幾つかの視点

本事案ファイルは最後の書簡で終わっているが、本事案ファイルには、我が国政府と英領北ボルネオ総督府が稲田信之助の邦人の大規模入植計画に対する危惧の念を共有し、不測の事態の発生を未然に防止しようとする真摯な連携姿勢が伝わってくる。

この点、稲田信之助の計画との関係については、事後の結果から見ると、国内及び現地でも第三者に損害を与えたという事件も生じてはいないので、直接の理由は不詳ではあるも、稲田の計画は表面化せずに消滅したことになる。

本事案が興味深いのは、稲田信之助の邦人の大規模入植計画案は、単に計画内容が未熟であったものなのか、または、当初から詐欺的な計画が意図されていたのかという点であるが、この辺の事情を示す手掛かりはないようである。

因に、英領北ボルネオ（とサラワク王国）への邦人の大規模な開拓移住は一九一〇年前後から始まっている点との関係からは、稲田信之助の計画は時期的に少し早く、国内の理解と支援が得られなかったとの見方もできる。

補筆

さて、稲田信之助が斉藤在シンガポール領事に対し、『事業資金は一時帰国して知己の岩本千綱なる者より調達する予定である』と述べている岩本当人の人物像であるが、岩本千綱については、本事案ファイルの終結した三年後に思い掛けぬ形で参考となる事情が浮かんでいることである。

即ち、岩本千綱はシンガポールから帰国後に再び出国し、バンコクの仏教寺院で仏門に帰依していたらしく、一八九六年一二月には、この寺院から僧衣のまま出発し、イサーン（東北地方）を経てメコン河を渡り、仏領ラオスのヴィエンチャンに到着、更には、ラオスの北部地域から仏領安南に入り、翌一八九七年四月にハノイに到着するという前人未踏の快挙を達成し、俄然、『時の人』になったことによる。

この時の報道は、岩本千綱の履歴について、一八九三年当時は陸軍少尉の軍籍にあってシンガポールに勤務していたことを伝えているが、この点に即して見れば、稲田が斉藤領事に述べていた岩本との知己関係自体は事実であった可能性を推測させている。

なお、岩本千綱は帰国のあと、探検旅行全日程を通し克明に記録していた日誌を基にして『シャム・ラオス・安南三国探検実記』を刊行しているが、その内容は、現在もインドシナ半島研究者にとっては学術的価値の高いものである。

第四章　サラワク州との奥行きを読む

サラワク・バクン水力発電所の全容
—理念は経済成長と環境問題の同時的処方箋—

（二〇一〇年一一月）

バクン水力発電所の建設経緯と概要

最近のマレーシアのマスメディアは、サラワク州のバクン水力発電所建設工事が年内完成の予定（実際の稼動は貯水との関係で明年半ば頃）と、工事進捗状況を詳細に報じているが、本稿の会報が発刊される時点では既に完成が予想される状況にある。

筆者が本件報道を読んで直ぐに脳裏に浮かんだのが、一九九五年一月にサラワク州のタイブ主席大臣を表敬訪問した際に同主席大臣の述べられた所信であった。

当時、バクン水力発電所建設計画の概要は州政府と財界の間では既に大詰めを迎えつつあったが、他方、国際的連帯化にある環境保護団体や個人運動家が、バクン水力発電所建設計画は自然環境を破壊し地域住民の生活権利を剥奪するとの趣旨の下、建設計画反対キャンペーンを内外に展開していたので、計画の実施は無期限の中断を余儀なくされていた。マレーシアのマスコミは『計画は白紙に撤回か』と報道するものも多く、タイブ政権は反対運動の渦中にあった。

だが、筆者に対するタイブ主席大臣の説明は信念に満ちた『サラワク州は年間三〇〇〇～三五〇〇ミリの降雨量があり、世界でも例の少ない降雨量はサラワク州にとっての天与の恵みである。大量の降雨の有効な活用こそが、マレーシア全体とサラワク州の持続的経済成長と環境問題を同時的に解決できる処方箋である。現在は反対している者からも、いずれ分かって貰える時期が間違いなく来る』であった。

バクン水力発電所建設は計画段階から起算し約一七ヵ年の歳月を要しているが、この歳月の長さが、如何に試練に晒されたプロジェクトであったかを物語っている。

バクン水力発電所の総工費は約七〇〇〇億円と推定されている。サラワク州一九九五年度の財政規模（六二〇〇億円）から見ると、正に挑戦的な数字でもある。

バクン水力発電所建設計画はバクン水力発電公社（ＥＫＵＲＡＮ社が三〇％出資）が運営主体となっており、また、建設工事はバクン水力発電公社と多国籍コンソーシアムＡＢＢ―ＣＢＰＯのターンキィ・ベースによっている。

発電所本体はラジャン河（河口はビンツル）の上流地帯に建設され、ダムの水域面積は六万九五〇〇ヘクタール、東京都の約三分の一の面積に相当している。ダムの堤高は二〇五メートル、世界で第二番目に高いコンクリート・ロックフィル・ダムである。四〇〇ＭＷ六基による最大発電能力は二四〇〇ＭＷ、平均年間生産電力量は一万六七五八ＧＷＨ。

計画によれば、生産電力二四〇〇ＭＷのうち、一五三三ＭＷは、サラワク州タンジョン・パリとジョホール州タンジョン・テンガラ間に四本敷設された海底送電ケーブルにより半島マレーシアに供給され、残余の生産電力がサラワク州本来の用途の他、今後の状況に応じサバ州とラブアン連邦直轄区にも供給される。

マレーシアの持続的経済成長と環境問題の同時的処方箋

バクン水力発電所の平均年間生産電力一万六七八五ＧＷＨを他のエネルギー源に換算すると、液化天然ガスは三二〇万トン、石炭は八六〇万トン、石油は四二〇万トンにそれぞれ相当すると試算されている。

前述のバクン水力発電所生産電力と化石燃料エネルギーの換算値は、バクン水力発電所生産電力がマレーシア全体の経済・社会に強いインパクトを持つことを示しているが、換算値の意味する重要な点は次の通りである。

① 今後のマレーシア経済の持続的成長と人口増に対応できるエネルギー源が、将来にわたり確保される明確な展望が得られたこと。

② 化石燃料に代わるクリーンなエネルギー源の比率が増加し、炭素系化合物の排出のもたらす生活環境の悪化を抑制できると同時に、将来的に生産量に限界のある化石燃料の国内のストックを高め、また、輸出に振り向ける量を増やすことも可能であること。

③ 降雨は化石燃料資源とは異なって自然のもたらす無限のエネルギー資源であること、最も重要な点である。この点、バクン地域の気象データと土壌調査からは、ダムの年間を通じての安定的貯水が可能なことが立証されている。

サラワク州から見た期待と課題

サラワク州はマレーシアの諸州の中で国土面積が最も広く、天然ガス、石油と木材などの天然資源に富む資源州である。サラワク州では従来の天然資源輸出型から工業化へと産業構造の転換が進みつつあるが、製造業のGDPに占める比率も、マレーシア各州の中では既に五位に位置している。

余力を持つバクン水力発電所の生産電力が州内の需要には特に低廉な電力料金が設定されれば、製造業分野への民間投資には一層弾みがつくものと見られている。バクン水力発電所建設計画の主要目的の一つであることは言うまでもない。

他方、サラワク州の課題は、バクン水力発電所建設計画が終了すれば、建設事業に臨時的に雇用されていたサラワク州内の多数の労働者が失業し、再雇用先の確保が課題として浮上する可能性があることである。

この点は、内外からの製造業分野への民間投資の規模とスピードが鍵になってくるが、補完的には、バクン水力発電所自体の保守要員の雇用の他、広大なダム湖水の養魚計画と観光資源利用計画、灌漑事業などの関連分野が新たな雇用先として浮上している。

なお、バクン水力発電所が半島マレーシアへ供給する売電価格は、石油と天然ガスの国際価格が大幅に上下した場合には、サラワク州と半島マレーシア側との間において価格改定交渉が政治的課題になる可能性を含んでいる。

―余滴―

最近、筆者がサラワク州とサバ州の在留邦人を含む旧知の方から頂く便りは、判を押したように、中国と韓国の国策型の企業進出及びテレビの韓流ドラマの圧倒的人気と韓国料理店の続々の開店情報（特に、コタキナバル）である。

東マレーシア地域の国際関係の深化と見ることもできようが、日本のプレゼンスの相対的低下（直接的には有力指導層との人脈欠如）が、我が国企業の新規大型案件参画の機会喪失に繋がらないことを願う次第である。

日本・サラワク関係の『聞き書き』

―『語り部』の記憶と心情―

（二〇一四年八月）

『日本サラワク協会』という名称には馴染みの薄い方が多いかと思われるが、太平洋戦争以前と戦中の時期にサラワクで生活体験をされた方を中心とし、会員相互の親睦と日本・サラワク州との親善交流を目的として一九七〇年代に設立された団体である。

だが、時の流れを反映し、近年の協会の定例会合の出席者は殆どが戦後生まれの会員になっている。従って、昨今の会合では、以前は話題の中心であった戦前・戦中や終戦直後の時期のサラワクでの体験談や感想は殆ど聞けなくなっている。

本稿は、前述の日本サラヮク協会の会員構成の推移の中、筆者が過去一〇数年の定例会合において、言わば、『語り部』世代の方々から聞かせて頂いた回顧談の幾つかを、（厳密な意味の検証は別途の課題とし）簡潔に要約した『聞き書き』である。

なお、以下に記述した順序は、筆者が、事柄の時点に沿い便宜的に時系列に整理したものであるので、念のために申し添える。

①戦前の英国人と在留邦人との関係

英国の保護領であるサラワク（王国）では、一九三〇年代後半の我が国を取り巻く国際環境の厳しさが増す中においても、英国の官員や実業家と在留邦人との間には友誼が続き、現地住民とも平穏な関係が維持されていた。

思うに、訪日（一九二九）を経て親日家になっていたヴァイナー・ブルーク王（一九一七〜四一）の意向の反映であった。

②太平洋戦争と邦人事業の浮沈

太平洋戦争直前の時期、サラワクにおける邦人のゴム農園などの租借地面積は約七五〇〇エーカーの規模に達し、また、鉱山開発事業や木材伐採事業などの分野も進展していた。当時の在留邦人はサラワク開発の先駆者としての貢献を誇りにしていたと思う。

この点、太平洋戦争開戦の時期から戦中の中程までは、邦人の事業は、国策物資の生産の担い手として新たな活況を呈していたが、終戦前の段階では、邦人の現地応召による人手不足と戦局の悪化により事業は放棄状態に陥っていた。

③博物館の損傷を回避した日本軍指揮官

太平洋戦争突入の直後のクチン攻略作戦において、南方軍直轄第１２４連隊川口支隊が排除を要したのは、丘の上のサラワク博物館に集結する英国人守備隊であった。

川口支隊は電光石火のサラワク制圧を任務としていたが、攻撃によって博物館の貴重な文化財が消失するのを危惧した現場指揮官は、自らの責任において粘り強い降伏勧告を行っている。結果、サラワク王国守備隊は降伏し、博物館の損傷が避けられている。

④前田利為司令官の陣没と前田島の命名

前田利為・北ボルネオ守備軍司令官のミリ空港発ラブアン島に向かう途次の洋上での搭乗機事故による陣没は（一九四二年九月五日）、日本軍にとって衝撃的なできごとであった。日本軍当局は前田司令官を追悼し、ラブアン島を『前田島』と命名している。

日本軍の戦史資料に『前田島』の名称が一切表れてこないのは、日本軍の組織と作戦用務自体には、ラブアン島の地名が終戦まで使われていたことによる。

⑤日本海軍連合艦隊の寄港と給油

『捷一号作戦』発動による日本海軍連合艦隊が米軍のレイテ湾上陸阻止に向かう途次ブルネイ湾に投錨した際（一九四四年一〇月下旬）、ミリ陸軍燃料工廠が燃料給油と給水の大任を果たし得たことと、出港直後のレイテ湾海戦で連合艦隊が壊滅的な打撃を受けたとの報は、ミリ陸軍燃料工廠に勤務した会員には、今もって感無量なものがある。

⑥終戦後の犠牲者

サラワクでは、終戦の一九四五年八月一五日以降も日本軍と英・豪州連合軍との戦闘は山岳高地を中心に続き、九月中旬に終息している。終戦後において、彼我の軍人と現地住民の間に多くの犠牲者を出したことは悲劇であった。

⑦敗戦と戦犯容疑者

終戦に伴い、クチンの日本人収容所に抑留された軍人・軍属が敗戦の現実を最も痛感させられたのは、連合軍憲兵が戦犯容疑で連行していく上官や同僚の後ろ姿であった。

中には、連合軍憲兵が連合軍元捕虜や住民などの腹いせや誤認に基づく告発を鵜呑みにし、連行したと思われる事例が幾つもあった。

因に、コタキナバル市内の樹木に鬱蒼と覆われる小高い丘の一角に戦犯容疑処刑者の慰霊碑がある。この慰霊碑は八柱が処刑された現場と確認された場所に位置するが、八柱の無念の死を悼んだ会員有志が市当局の了承の下に建立したものである。

⑧ミリ日本人墓地の消滅

戦前ミリ市内にあった日本人墓地は時期不詳のままに消滅しているが、戦火で壊滅したミリ市内の戦後復興の過程で整理されたものと思われる。

⑨遺骨収集団への参加

日本政府サラワク地区遺骨収集団（一九八三年）の現地活動には、会員有志が自発的に参加させて頂いた。戦時中の状況を思い起こし、情報提供や現場案内などを行ったが、遺骨収集のお役に立てたことは散華した戦友への供養になったと思っている。

⑩ミリ日本人戦没者慰霊碑の建立

協会発足以来の会員一同の念願は、ミリに日本人戦没者慰霊碑を建立することであったが、サラワク州政府は住民感情に配慮し、長年の間、建立許可を躊躇していた。

最終的に建立許可が得られたのは（一九八三年三月）、建立申請当時には州政府有力閣僚になっていた戦中からの知人が反対派住民の説得に尽力された結果である。

⑪サラワク日本協会と日本語教室

協会会員一同のもう一つの長年の思いは、戦争期には結果として迷惑をかけたサラワク州の住民に対し、何らか形で率直な気持ちを伝えたいことであった。幸い、サラワク州官民の理解と協力を得て、日本・サラワク州の親善と文化交流の軸になる『サラワク日本協会』の設立と『クチン日本語教室』の開校に最大限の協力ができたことは、何よりであったと思っている。

サラワク州の先住民土地慣習権
―開発事業と生活権との調和―

（二〇一六年一〇月）

はじめに

サラワク州事情に理解の深い方でも、本稿の標題である先住民土地慣習権（Native Customary Right）という字句には、馴染みの薄い方が多いのではないかと推測される。

この点、先住民土地慣習権は一九五七年マレーシア憲法一五三条に規定されているものではあるが、先住民の人口比率の高いサラワク州においても、一九八〇年代後半の頃までは、概して、社会的な関心は低かったのが実態と言える。

だが、近年、サラワク州においては、先住民を原告とする土地利用を巡る法廷訴訟の事例が既に一〇〇件を越し、先住民土地慣習権と開発事業との関係が社会的な関心事項になっている状況が見られている（注・半島部においても幾つかの訴訟事例はある。）

本稿は、以上の状況を視座とし、サラワク州の先住民土地慣習権と現況の関係を紹介するものであるが、サラワク州事情の理解の一端に資するならば幸いである。

先住民の生活形態と土地・森林との関係

サラワク州の人口二三五万人のうち、主な先住種族は、イバン系（二九％）、ビダユ系（八％）とメラナウ系（五・五％）などである（二〇一五年現在の推定）。

今日では都市部に住む先住民も少なくはないが、今も多くは、都市部から離れた自然の育む森林や河川の恵みと共生している。即ち、生業は豊かな自然に依存した焼畑農業、狩猟や漁獲などを主とし、森林の富は家屋用建材、農業用・狩猟用道具と家畜の飼料に使われている他、薬草や山菜と果実なども日常生活を支える貴重な糧になっている。

以上から分かることは、先住民の家族とコミュニティが持続されるには、一定面積の豊かな自然を必要とすることである。この点、前述の先住民土地慣習権を巡る係争の背景には、近年の開発事業に伴う土地利用への圧力が、先住民の伝統的な生活様式を圧迫しつつあるとの状況が浮かんでくる。（注・サラワク州は最も人口過疎の州ではあるが、先住民が現実に生活を営める土地空間は必ずしも広くはない点に留意。）

先住民土地慣習権とサラワク土地法

サラワク州先住民の土地の権利は一九五七年マレーシア憲法と一九五八年サラワク土地法に基づき保障されている。保障の根幹とも言えるサラワク土地法五条は、住居・家屋用地、耕作地と狩猟・漁獲・林産物・非木材林産物採集地の三つに区分した上で、『これらを包括する土地全体』に先住民土地慣習権が適用されるとしているが、先住民が慣習的権利を有する土地は、それがコミュニティ・レベルか否かに関わらず、一九五八年一月一日よりも以前に合法と認められた土地に限ると規定している。

また、一九五八年以降に出生した先住民の慣習的な土地の権利については、サラワク土地法六条は、サラワク州政府土地調査局が先住民の利用のために一定の土地を区画すると規定している（但し、この規定は、先住民が当該土地の占有権を取得するものではないと解釈されている）。

なお、サラワク土地法一〇条は、誰も未だ使用していない内陸地については、先住民が州政府に申請し許可が下りれば、当該土地を農地として利用できると規定している。

先住民土地慣習権と開発事業の抵触

以上見た通り、サラワク州の先住民土地慣習権はサラワク土地法によって概ね担保されているが、先住民土地慣習権に関わる係争が生じているのは、次のような事情と最も関わりがあるように思われる。即ち、サラワク州政府は、一九五八年一月一日以前に土地利用の明確な物証のない土地・森林は『州有地』と見なしているが、実際には、土地調査局による境界確定には、不確かな地区が多く残されていることである。

この間の事情としては、前述の土地利用の物証の期限において、土地調査局と先住民との間で相互に未確認の状況のまま残されている地区があることや、確定作業が地形などから技術的難点を含む地点では、確定作業が滞っていたことなどが挙げられている。

斯かる状況の下において、今日の様々な開発事業（木材伐採、アブラヤシ農園開発やダム建設など）は、州政府が前述の『州有地』と既に認定している土地・森林を対象とし行われてはいるが、開発事業の拡大に伴い、開発現場と未確認地域・地点の先住民の土地慣習権とが抵触する事例が生じていることである。

新構想方式のアブラヤシ農園開発との関係

また、近年、先住民土地慣習権を巡る訴訟事例が増加している背景の一つとして注目したいのは、一九九四年に始まった『新構想』(Konsep Baru) 方式の下でアブラヤシ（オイルパーム）農園の開発が急速に進んでいる事情との関係である。

新構想とは、サラワク土地開発管理機関が先住民土地慣習権を有する住民から信託を受け、その代理人として民間企業と合弁契約を締結し、企業は六〇年間、先住民から土地をリースされるが、他方、先住民は企業から毎年配当を受け取るスキームである。

この点、運用方式自体は信頼性の高い形式になっているが、実際には、運用に当たる民間企業側の先住民に対する契約内容の説明の不透明さや経営情報の非開示などに対する不信、あるいは、配当が適正に支払われていないとの事例が生じていることが、多くの訴訟事例や判決内容からも読み取れる。この点、先住民側の知識と経験の不足が、民間企業側によって巧みに利用されているとの見方もある。

結びに代えて

既述のサラワク州の先住民土地慣習権を巡る事情で留意したいのは、係争の事例の内容には個別の特殊な事情に基づくものも多く、概念的な理解や解釈には馴染まない要素も含まれていることである。

同時に、現況の多くの事例を通じ理解されることは、今日の時代の波と先住民の権利との調和が政策課題になっていることである。即ち、サラワク州の経済開発の急速な進展の趨勢の下、開発事業と先住民土地慣習権との抵触は、ある程度は不可避の要素が含まれているように思われるが、他方、開発事業が先住民の生活の利便や向上に『公平に寄与すること』が要請されていることである。

なお、先住民土地慣習権を巡る現況は、日系木材企業にとっては現地の木材サプライチェーンとの関係、また、我が国の公益団体などの植樹計画候補地の選定の際の参考にもなると思われる。

第五章　文学から見るマレーシア

『熱い絹』と『象の白い脚』

―推理小説から読む『安全』への関心―

（二〇一三年一一月）

『タイシルク王』として知られていたバンコク在住の米国人ジム・トンプソンがマレーシアの避暑地カメロンハイランドで失踪したのは、一九六七年三月二六日のことである。

ジム・トンプソンの失踪（事件）は失踪解明に結び付く物証と状況証拠の何も得られないままに幕引になっているが、一昔前の事件であるも、ジム・トンプソン失踪の謎は今日においても世上の関心に残っているようである。バンコクのシーロム路の『ジム・トンプソンの家』を訪れる観光客の数は依然として多いことや、マレーシアの観光ガイドブックのカメロンハイランドの欄には、ジム・トンプソンが失踪時に宿泊していた『月光荘』について記されたものが多いことなどである。

顧みて、我が国でジム・トンプソン失踪の謎に関心が持たれるようになったのは、社会正義派推理作家として数々の名作を記した松本清張の『熱い絹』であるが、他方、同じ松本清張のラオスを舞台とし邦人雑誌記者の失踪の謎を追う『象の白い脚』の方は、お読みになった方は少ないように思われる。

本稿では、東南アジア地域を舞台とし、ほぼ同時期に上梓された『熱い絹』と『象の白い脚』の二冊を対象とし、（文芸作品とは別次元の）邦人の海外生活や観光旅行の『安全』への先見性と示唆の視点から読み直してみたいと思う次第である。

因みに、同じく松本清張の推理小説である『球形の荒野』、『アムステルダム運河殺人事件』と『黒い福音』は、主として欧州地域との関わりが内容になっている。

ジム・トンプソンの失踪と我が国マスコミの無関心

さて、冒頭に記した『タイシルク王』ジム・トンプソンのカメロンハイランドでの失踪が明るみに出ると、失踪に関わるマレーシアとタイ及び米国の他、幾つかの国では、新聞とテレビが捜査の経過を連日の如く報道していた。なお、この時期は、世界各国のテレビ放送は既にカラー放送に移行していたので、カラー放送によるバンコクやカメロンハイランドの美しい風景がジム・トンプソン失踪への関心を一層高めていたようである。

筆者はジム・トンプソン失踪当時には在タイ大使館に勤務していたが、筆者の記憶では、我が国のマスメディアではジム・トンプソンの失踪は殆ど報道されなかったようである。

この点は、ジム・トンプソンの失踪というのはタイ在住の一人の米国人実業家の消息に過ぎないという見方があったようであるが、ジム・トンプソンの国際的知名度とバンコクには我が国の主な新聞社とＮＨＫの支局があったことと照らし合わせれば、当時の我が国の報道機関は、国際社会における拉致やテロ行為自体についての関心が希薄であったとも言える。

結局、我が国でジム・トンプソンの失踪（事件）が記事になったのは、失踪が発生してから二年以上もあとのリーダース・ダイジェスト日本語版の一九六九年一月号『億万長者、ジム・トンプソンの蒸発』（Ｎ・Ｆ・ブッシュ）であるが、この時点においても、我が国では広く関心を呼ぶには至らなかったようである。

『熱い絹』

松本清張の推理小説『熱い絹』は七二―七四年に『小説時代』の長編連載を基として発表されている。なお、今日、全集や文庫本に収められているのは八三―八四年に報知新聞に連載された原稿によっているが、初稿に若干の修正が加えられている。

『熱い絹』は著者がジム・トンプソンの失踪に多様、かつ、独自の背景を与えてフィクションとし、著者自身がその謎を『解決』していくという形式になっている。

筋書きとしては、ベトナム戦争末期の緊迫した地域情勢及び連環するマレーシア・タイ国境の不穏分子の活動を縦軸にし、ジム・トンプソン失踪捜査の過程で浮上した政治的誘拐説を初め幾つかの疑問点を横軸とした推理が展開されている。

筆者が『熱い絹』を読んで強く印象に残るのは、マレーシアとタイ現地の踏査と見分を軸とした地域の歴史、地理、種族構成と生活慣習の相違や捜査機関相互の葛藤などを含む膨大な情報の収集と徹底した情報分析の上に書かれていることである。


『象の白い脚』


筆者は在ラオス大使館に勤務していた一九八九年に某総合商社のビエンチャン邦人駐在員の拉致事件を経験している。拉致された駐在員は、一週間後にビエンチャンのメコン河対岸のタイ領ノーンカーイ県某地区で無事解放されている。長年の海外勤務の経験の中で、この時ほど、邦人ひとりの生命の重さを感じたことはなかったと思っている。

さて、筆者がこの拉致事件の終結のあとに思い出したのが、松本清張の推理小説『象の白い脚』(原題は『象と蟻』:一九六九—七〇、別冊文芸春秋)であった。実は、題名は知っていたものの、同書をこの時まで読んだことはなかったのである。

本書の粗筋は、ラオス(王国)で取材旅行中の友人が謎の死亡に至った背景にあと一歩に迫っていく主人公の推理の過程であるが、筆者が本書を初めて読んで感じたことは、ラオスの複雑な国際環境と屈折した国内社会の状況への深い洞察が克明に記されていることであった。

筆者が在勤時のラオス(人民共和国)は既に『体制移行』(一九七五)から一〇数年を経て開放経済の状況にあっ

たが、前述の邦人拉致事件の真相は秘匿された形での幕引という状況の下、『象の白い脚』に描写された社会の深淵に思い致すことになった。

松本清張の推理小説の先見性と安全への示唆

筆者は、松本清張の推理小説『熱い絹』と『象の白い脚』の社会的な大きな意味は、雑誌への連載が始まったのが『日本赤軍』の一連のテロ行為や北朝鮮による邦人多数の拉致行為の発生以前の時期であったことにあると思っている。

この点、松本清張の両書は、当時の我が国官民の間の『テロ行為』や『拉致行為』についての疎い感覚に対する警鐘であったのかも知れないと思うところがある。

既述の推理小説についての読者の印象（面白さ）は個人によって様々であると思われるが、筆者の感想を敢えて述べさせて頂くとすれば、両書の内容には、海外の『法人の安全』のための通常の『マニュアル』では得難い奥深い示唆が含まれているように思われることである。

『マレー文学』を尋ねて
―神話時代から現代までの系譜―

（二〇一四年四月）

マレーシアの現代小説については、邦語訳も何冊か出版されているのでお読みになった方もおられるかと思われるが、邦語訳や英語訳の対象になった『マレー文学』の作品は限られているので、日本人がマレー文学に馴染む機会は少ないというのが実情である（この点は、マレーシア人の殆どが日本文学に接する機会がないのと同様である）。

日・マ両国の出版事業には、それぞれに厳しい事情が見られるが、今後、マレー文学の優れた作品の邦語訳や英語訳の更なる企画を期待したい次第である。

さて、本稿は、マレー文学の概要を各時代の特徴と代表的作品を軸にして紹介するものであるが、マレー文学への関心が少しでも高まることがあれば幸いである。

口承文芸

マレーシアの口承文芸には、起源の時期と地域を異にした無数の動物寓話、滑稽物語、『なぞなぞ』や専門の語り手が伝承する物語などがある。マレーシアの文化の重層性を示唆する内容のものが多い。子供の情操教育の教材としても使われている。

また、パントゥン（Pantun）という前句二行と後句二行からなる四行詩がある。一行目と三行目、二行目と四行目が対句となり、各々が韻を踏む形式である。今日においても、マレー語の音の美しさの表現と論理技法に生かされている。

文字文学の萌芽期

半島部における文字文学は、遺跡碑文は別として、一四世紀のイスラム教伝来以降のアラビア文字の使用によって始まっている。我が国古代の記載文字が伝来の漢字によったのと類似している。

ジャワ系とインド、アラブ、ペルシャ系の物語の翻案物が多いが、マレー系住民の文字文学への萌芽の時代であると共に、外来の多文化を吸収した時代でもあった。

マレー文学の揺籃期

一七世紀になると、マレー系住民の眼を通して書かれた作品が現れるようになっている。イスラム文化の中に育まれたマレー文学の揺籃期と言える。

数多くの作品のうち、代表作としては、マレー半島の歴史書『スジャラ・ムラユ』と英雄物語『ヒカヤット・ハン・トア』が挙げられる。

（イ）スジャラ・ムラユ（Sejarah Melayu）

スジャラ・ムラユは『マレー編年史』と訳される。神話的前史から掘り起こし、マラッカ王朝の栄光と没落の歴史が述べられている。ジョホールの宰相トゥン・ムハマットが著者であるが、ムハマットが一六一二年に著述を始めた時には、著者不明の原典が存在していたようである。古代・中世の歴史を体系的に知る殆ど唯一の資料になっている。

(ロ) ヒカヤット・ハン・トア (Hikayat Hang Tuah)

マラッカの王に仕える不死身の英雄ハン・トアの伝説物語である。作者は不詳であるが、記された時期としては、作中にオランダのマラッカ占領(一六四一)のことが述べられているので一七世後半であったと推測されている。比類なき武勇と忠誠心の総督、ハン・トアはマレー半島の民族的英雄として今日も住民に敬愛されている。

近世の文学

英国のマレー半島における植民地支配は一七八六年のペナン島取得に始まるが、二〇世紀初頭にはマレー半島全土を英領マラヤとして本格的な植民地統治を行っている。この間、マレー半島住民にも従来の価値観とは異なる文化が徐々に流入している。

英国文化の流入はマレー文学の世界にも変化を生み出したが、この時期のマレー文学には写実を重んじるスタイルの作品が多くなったことが特徴である。

変化の時代を代表するのがアブドゥラー (Abdullah bin Abdul Kadir Munshi 一七九六―一八五四) である。アブドゥラーはマラッカの英国人植民地官僚や宣教師のマレー語教師も務めていたが、職務の傍ら詩と紀行文や『自伝』(一八四九) を記している。

アブドゥラーの作品の特徴は当時のマレー半島の社会や文化についての濃やかな観察と優れた描写であるが、当時の社会の模様を知る上での貴重な記録にもなっている。

現代小説の時代

マレー文学が大きく変化する契機になったのは、英国統治下で標記文字がアラビア文字からローマ文字に転換したことであるが、印刷技術の発達と住民の社会的覚醒とが時期を同じくしたことが、多くの文芸作品を生み出す素地の一つになっている。

現代小説の時代はサイド・ジェイフ（一八六七―一九三四）らによって一九二〇年代後半から始まっているが、現代小説の潮流を確立したのは、第二次世界大戦後の作家のクリス・マス（Keris Mas 本名は Kamaludin Mohammad 一九二二―九二）である。

クリス・マスは一九四七年に『ウトゥサン・ムラユ』紙の編集部記者になったあと、一九五〇年『社会のための芸術』をスローガンとする『五〇年派文学者』（Asas 50）の運動を友人と起こし、一九五七年のマラヤ連邦独立にも影響を与えている。

クリス・マスが一九六二年に上梓した短編集の『折れれば生え』（Patah Tumboh）と一九八二年に刊行した長編『クアラ・ルンプールから来た大商人』（Saudagar Besar Dari Kuala Lumpur）は、現代マレー文学を代表する作品に位置付けられている。

『マレーシア文学』への展望

現在のマレーシア文学界の事情としては、一つには『マレー文学』作品のマーケットが小さいために専業の優れた作家が育ちにくい環境があることと、もう一つには、華語やタミール語などのエスニック言語による優れた短編小説や詩作が評価される機会が乏しいことも惜しまれている。

現下のマレーシアの経済・社会の成熟が文化の一翼の担い手としての（『マレー文学』を主軸とした）『マレーシア文学』の発展への展望に繋がることが期待されている。

余滴

創設二〇年の実績のある『福岡アジア・太平洋地域文化大賞』は、アジア・太平洋地域諸国の文化分野（伝統芸能・芸術、文学、評論、歴史など）において顕著な成果が認められる個人に対し、毎年、数名の枠内で授与されている。

マレーシアからも『カンポンボーイ』を描いた漫画家ラットさんを含む数名が過去に大賞を受賞しているが、マレーシアの文芸分野の国際的な評価の一つの例として付記しておきたい次第である。

マレー地域が舞台のサマセット・モームの小説

―未来に賭けた英国人の苦悩を読む―

（二〇一四年一〇月）

はじめに

英国の文豪サマセット・モーム（William Somerset Maugham 一八七四―一九六五）の小説については、『人間の絆』や『月と6ペンス』には馴染みの方が多いかと思われるが、英国保護領時代のボルネオ及びマレー半島とシンガポールを題材にした六編の短編小説を読まれた方は意外に少ないのではないかと想像している。

本稿では、モームの前述の六編の短編小説について、現代を視座に置き、作品の背景と内容及び特徴を紹介してみたい。

モームと『南海もの』の小説

多作で知られるモームの小説のうちの所謂『南海もの』は、モームが一九二〇年代の数年に亙る世界各国の船旅で訪れた地域が小説の題材になっている。船旅の訪問地の前半は米国各地と南太平洋地域、また、後半はボルネオ、マレー半島地域やタイである。

船旅の後半の題材が収録されているのが短編小説集『カジュアリーナ・ツリー』（The Casuarina Tree 一九二六）である。本稿が主題とするボルネオを題材とした『奥地駐屯所』（The Outstation）及びマレー半島とシンガポールを題材にした『手紙』（The Letter）などの六編は、この短編小説集に収録されている。

なお、船旅前半の南太平洋地域を題材とした三編は、短編小説集『木の葉のそよぎ』（The Trembling of a

Leaf 一九二二）に収録されている。我が国でも知られている『雨』（The Rain）と『赤毛』（Red）は、この三編に含まれている。

『奥地駐屯所』のエッセンス

モームの前述の六編の短編小説は各々が趣向を幾分異にしているが、ここでは、ボルネオを題材とした『奥地駐屯所』の粗筋を参考として紹介しておきたい。

『奥地駐屯所』の粗筋は、英国保護領ボルネオの現地司政官事務所（奥地駐屯所）に単身で長年に亘り勤務している司政官ウォーバートンと新たに補佐官として派遣されてきたアレン・クーパーとの間の日常の葛藤の鬱積を軸とし展開し、クーパーの現地文化への偏見による使用人アバスに対する侮蔑に起因する悲劇が結末になっている。

恐らく読者を魅了するのは、簡潔な文体と巧妙な筋書きの中に、（当時）未開の地の小規模出先機関と地域を舞台とし、英国人の階級社会の複雑さと原住民の感情との狭間で翻弄される人間の『さが』とが織りなす道行きであろうと思われる。小説の幕引部分のウォーバートンの短いせりふには、モームの大衆文学の粋が凝縮している。

モームのタイ・シンガポール滞在

モームは『南海』後半の船旅では、シンガポールではラッフルズ ホテル、また、タイのバンコクではオリエンタル ホテルに長期に滞在していることが、今日も両ホテルに保存されているモーム自署の宿泊者記帳簿から知ることができる。小説の構想の整理と執筆は、両ホテルでなされていたことを思わせている。因に、今日のシンガポールのMRTの『サマセット駅』はモームの名前を冠したものであるが、また、バンコクのオリエンタル・ホテルにはモームの名前が付されたスイートルームがある。

モームとボルネオ・マレー半島の足跡

本論であるモームのボルネオ及びマレー半島の日程や滞在先などを示す記録は、残念ながら見つかっていない。従って、想像するほかはないのであるが、難しいのは、記録を探す足掛かりになるものがないことである。例えば、『奥地駐屯所』の舞台である『ボルネオ』という表現についても、『奥地駐屯所』には地名や河川名などの記述が全くないので、当時英国保護領の『サラワク』か『北ボルネオ』のいずれであるかさえも、接点となるものがないことである。この点は、当時の欧米の読者にとっては、総称としての『ボルネオ』の方が馴染み易かったと思われるのと、大衆小説としての面白みと場所の実在とは本来は無縁であることなどから、モームは『ボルネオ』という呼称を象徴的に用いたとも考えられる。

同様に、モームのマレー半島の旅の足跡についても不詳である。解明の唯一の足掛かりになるかと思われるのは、小説の中にクアラ・ソロールという地名の頻度が多いことであるが、これとて推測の域を出ないものである。だが、モームの六編の短編小説には、当時のマレー地域の社会と文化、特に、住民のエスニック構成や風俗と習慣には状況を彷彿とさせるものが多い。従って、モームが実際に各地に足を運んだであろうという推測自体は依然として残っている（因に、筆者が知る限りでは、マレーシアではモームの作品についての関心は薄いように思われる）。

表題に滲むモームの思索

『奥地駐屯所』などが収録されている短編小説集の表題である『カジュアリーナ・ツリー』とは、熱帯・亜熱帯気候の地域の海浜に自生する『モクマオウ』（木麻黄）のことである（モクマオウは沖縄県にも自生している）。

興味深いのは、モームは『カジュアリーナ・ツリー』の序文において、『満月の夜にカジュアリーナ・ツリーの蔭に立つと、未来の秘密を呟く声が聞こえる』と記していることであるが、もう一つの短編小説集の題名も木に因む『木の葉のそよぎ』である。

この点、『カジュアリーナ・ツリー』に収録された六編には共通する内容がある。即ち、当時のボルネオとマレー半島の英国人の行政官や大農園経営者などが、慣れない酷暑の風土の下での生活と価値観の異なる現地住民との接触から生じる異常な精神状態とが関わる事件が描かれていることである。

前述の『未来の秘密を呟く声が聞こえる』の『未来の秘密』とは、猟奇的な意味合いではなく、当時の厳しい生活環境の下で植民地の経営に従事する英国人が、地域の『未来の発展』に賭ける内面の声の『つぶやき』であったとも解釈することができる。

筆者は、今日のマレーシアの経済・社会の発展を見る時に、『カジュアリーナ・ツリー』という表題には、モームの深い思索が滲んでいるように思う次第である。

小説『浮雲』の人物像とボルネオ島との関係
―林芙美子の従軍資料から読む―

（二〇一七年八月）

はじめに

林芙美子（一九〇三―五一）の小説『浮雲』を読まれた方、あるいは、映画『浮雲』（成瀬巳喜雄監督　水木洋子脚本）を見られた方は多いかと思われる。

この点、興味深いのは、林芙美子の南方地域への従軍関係資料には、『仏印』のサイゴンやダラットを舞台とする『浮雲』に描かれた男女の人物像と、林芙美子が従軍地のボルネオ島カリマンタンのバンジェルマシンで実際に出会った邦人の間には、深い繋がりがあるように推測されることである。

本稿は前述の視点を敷延したものであるが、本稿の内容は、『浮雲』の人物像の比定との関係からだけではなく、我が国とボルネオ島との歴史関係を遡る一つのエピソードとしてお読み頂くならば、幸いと思っている次第である。

なお、本稿の記述に当たっては、林芙美子記念館所蔵の『林芙美子関係資料』及び『林芙美子全集』の関係部分と望月雅彦著『林芙美子とボルネオ島』などを参考にしているが、引用文献の表記は紙面の制約で最小限に留めたので、予めご承知願いたい。

小説『浮雲』の梗概

小説『浮雲』の粗筋を念のため記しておくと、太平洋戦争初期に農林省から仏印に派遣されていた農林研究所員の農林技師（富岡兼吾）と、同じく農林省から派遣されてきたタイピスト（幸田ゆき子）を主人公とし、現地・仏印での耽美な時間と戦後の我が国の暗い世相が行き交う中での男女の愛憎を軸とした流転の人生を描いた物語である。

林芙美子とバンジェルマシン滞在

『林芙美子関係資料』によれば、林芙美子と水木洋子ら従軍女性記者第一班五名の南方従軍行程は、マレー半島西岸、ジャワ島とスマトラ島を派遣先とし、一九四二年一〇月三一日から四三年五月九日までの約六カ月間になっている。（注・派遣要領では『従軍』の用語が使われているが、一般的な意味での『従軍』とは異なっている点に留意）。

この間、林芙美子だけは単独に一九四二年一二月一五日から翌四三年一月六日までの間、当時の呼称では南ボルネオ、即ち、カリマンタンのバンジェルマシンに滞在している。林芙美子単独のバンジェルマシン従軍日程が承認されたのは、バンジェルマシンには日本軍の南ボルネオ統治を担う海軍民政部が置かれていたので、軍人・軍属や邦人駐在者が多いとの状況の他、従軍先としての林芙美子の個人的希望が特に配慮されたものと見られる。

小説『浮雲』の人物と現地邦人との関係

（1）小説『浮雲』の富岡技師と河野技師の類似点

本論であるが、『林芙美子関係資料』には、バンジェルマシン滞在当時の林芙美子は海軍民政部を時々訪れて農林省から派遣されていた河野農林技師と面談し、カリマンタンの民情や産業などについて教示を得ていたことが記されている。

この点、気づくことは、『浮雲』の富岡とバンジェルマシンの河野の職業的身上が、農林省派遣の技師という点において同じであることである。

この点、前掲資料の内の『日記断片』（ボルネオにて）には、『此地にて色々な人々にめぐりあう』との書き出しに続き、バンジェルマシンで出会った忘れ難い何人かの知己の一人として、河野の名前が記されている。

林芙美子の斯かる心情から推察すれば、河野の身上が『浮雲』の人物の設定に反映していたとしても、不自然ではないと思われることである。

また、注目したいのは、『浮雲』は富岡が『南ボルネオ』から仏印に転任してきたとの記述に始まっていることであるが、一般には馴染みの薄いと思われる南ボルネオという地域名が前任地に設定されていることも、河野を連想させるものになっている。

なお、林芙美子がアグネス・キース女史の名著『ボルネオ―風下の国』（一九四〇年発刊）の情緒の世界に共鳴していたことは、『林芙美子全集』の『作家の手帳』からも知ることができるが、この点、アグネス・キースの夫が英領北ボルネオ（注・現在のサバ州）政庁の森林管理官であったことも、林芙美子の心情の中の河野と重ね合わせて見ることもできる。

(2)『浮雲』の幸田ゆき子と海軍民政部のタイピスト

林芙美子がバンジェルマシンに滞在していた当時、海軍民政部には数名の邦人女性のタイピストが勤務していたが、いずれも、海軍の募集に応じて採用された者であった。

従って、林芙美子がバンジェルマシンでは海軍民政部のタイピストとの交歓も随時あったと想像されるが、『浮雲』の幸田ゆき子の職業的身上が農林省派遣のタイピストである点も、幸田ゆき子の身上の設定には、林芙美子がバンジェルマシンで出会ったタイピストの姿が投影していると見ることは、自然のように思われる。

（３）『浮雲』と女優・五月信子

もう一つ注目したいのは、『浮雲』の文中には、『バンジェルマシンの町で見た、五月信子の、慰問の芝居なぞが、なつかしかった』と記されている部分である。

この点、前掲『作家の手帳』には、林芙美子が海軍省の委嘱でバンジェルマシンに公演に訪れていた一座の座長の女優・五月信子を実際に訪問・面会していることも記されているが、五月信子という女優が文中に実名で登場していることは、『浮雲』の主人公の人物の設定には、林芙美子のバンジェルマンでの邦人との出会いが関わっていることを示す傍証にもなっている。

余滴

小説『浮雲』は、主人公の幸田ゆき子と富岡が国内を流転の末の『屋久島』において、富岡が登山で外出中にゆき子は喀血で死ぬという壮絶な描写で終わっているが、『浮雲』の文学作品としての秀逸性の極致を感じさせる部分と言える。

興味深いのは、屋久島とバンジェルマシンとは、多雨の気候や植物の生態、あるいは異郷という点では類似性があることであるが、この点、『浮雲』における屋久島の設定も、バンジェルマシンの印象が投影しているようにも推測できることである。

『サンダカンの墓』を改めて読む
―墓石の方向の解釈など―

（二〇一八年六月）

はじめに

筆者がコタキナバルに勤務していた時期は、山崎朋子著『サンダカンの墓』の初版が出版されてから既に二〇年を経ていたが、当時においても、サバ州を訪れる多くの邦人観光客の関心は『サンダカンの墓』の見参にあったようである。

今日では、サバ州東海岸周辺の旅行は要注意の情報に従い、サンダカン墓地を訪れる邦人は殆どいない状態ではあるが、出版社筋によれば、今日でも『サンダカンの墓』の読者は引き続いているとのこと、同書への関心と評価の高さを示す証しと思われる。

この点、サバ州研究者の一人としての筆者の率直な感想ではあるが、『サンダカンの墓』の内容には、少し補足をしておくことが必要と思われる部分と、著者とは異なった視点から理解する方が適切であると思われる部分とがあるように思われる次第である。

本稿で指摘する内容の一部は、あくまで筆者の私見に過ぎないが、サンダカンの日本人墓地をより深く理解する上での参考になるならば幸いである。

サンダカンと二つの邦人墓地

ご承知のとおり、『サンダカン八番娼館』に続く『サンダカンの墓』は、往時の我が国の農村社会の貧困と『からゆきさん』の身の上の関係を克明に浮き彫りにしているが、同様な状況としては、当時のサンダカンには、集団契約労働者としてサンダカンの奥地に入植し、苛酷な労働と風土病で倒れた多数の邦人男女の墓地があったことは、『サンダカンの墓』では触れられていない。

この墓地について知り得る資料としては、今日の東マレーシア地域の日本人墓地についての戦後最初の日本政府資料である『一九六〇年九月一二日付英領ボルネオ日本人墓地調査報告書』だけであるが、同報告書には、『サンダカンの Jalan Istana の一角には墓碑も判読できないほどに損壊した一四基の墓石が残る日本人墓地がある』と記されている。

だが、この墓地は、我が国政府が一九六五年にコタキナバルに日本国領事館を開設した時点では、現地行政機関によって既に撤去されていた。この日本人墓地は、往時の英国総督府の許可を得ていない所謂『黙認墓地』であったことが、のちに判明している。

『からゆきさん』墓地と発見に至る経緯

一九七二年にサンダカンで『からゆきさん』墓地が現地の二人の在留邦人によって発見された時の現場の模様は、『サンダカンの墓』に詳述されているが、同書には、日本国領事館が墓地の発見に果たした主導的役割については紹介されていないので、断片的資料に基づき補足しておきたい。

即ち、一九六五年に開設された日本国領事館は、先ず、東マレーシア地域四カ所の荒廃した日本人墓地の修復作業に着手していたが、作業が若干落ち着いた六八年頃からは、『からゆきさん』墓地の所在地点の確認にも着手していたことを知ることができる。

この点、興味深いのは、日本国領事館が墓地の所在地点の調査の貴重な足掛かりにしていたのは、一九一七年にサンダカンを訪れた坪谷善四郎の著書『最近の南国について』の中の一節であったことである。

参考までに、当該部分を原文のまま引用してみると、『この土地には市街の背後なる山の反腹の遠く海上から見える所に二つの大石塔が見える。其の所は日本人の共同墓地だそうだが、兎も角も場所不相応な大石塔を見るべく、余等数人が急坂をよじて登れば、支那人の墓地に並んで二百坪ばかりの日本人墓地は、百余りの墓の主が大抵は女で、古くは土饅頭ばかり、然らざれば、一本の木標に風雨に打たれて文字の定かならぬものが多い』とある。

だが、この『からゆきさん』墓地も『黙認墓地』であったので、日本国領事館としては、サンダカン市役所から踏査に際する積極的協力を得ることができなかったとの事情が、墓地の発見の上での主な隘路であったことも、断片的資料から類推される。

『からゆきさん』の墓石の方角

さて、山崎朋子著『サンダカンの墓』が読者に強烈な印象を残しているのは、『からゆきさんの墓石は日本に背を向けて建てられている』との記述部分であると推測される。

筆者も、『からゆきさん』に対する山崎朋子氏の深い心情には共感できるが、『からゆきさん』の墓石の方向についての解釈には、強い違和感を感じている次第である。

違和感の一つは、墓石の状況との関係である。墓地の現場に残っていた『からゆきさん』の墓石と見られるのは、殆ど損壊状況の一二基の小さな墓石の底辺部分だけである。従って、墓石の正面と裏面を識別できるものは、実際には何もなかったことになる。

以上の墓石の状況と数は、『からゆきさんの墓石は日本に背を向けて建てられている』と判断するには、客観性に乏しいと言わざるを得ない。

違和感のもう一つは、墓地の入り口と参詣者の便宜との関係であるが、墓地の位置と地形からは、墓石の正面を日本の方向（北々東）に向けて建立すると、参詣者にとっては、墓地の入り口からは、墓碑や木標の正面に記される戒名や俗名は、読めないとの不便が生じることになる。

以上の点に照らせば、『からゆきさん』の墓石の正面の方向は、墓地の地形と参詣者の便宜の関係に従ったものである。従って、山崎朋子氏の『からゆきさんの墓石は日本に背を向けて建てられている』との解釈は、状況に適ったものではないと言える。

サンダカン墓地と持続・管理

さて、サンダカン墓地は、現在も、コタキナバル領事事務所を通じ適切に管理されているものと推測されるが、留意したいのは、サンダカン墓地は、マレーシアの国土の中でも最も高温多湿な地域に位置し、かつ、サンダカン湾からの塩分を含む潮風に常時晒されているので、墓石の破壊と土壌の侵食が加速しやすい状態にあることと、華人系住民の大規模な墓地と接しているので、両者の境界の保全も要することである。

なお、マレーシアの個々の日本人墓地の形状を最終的には如何なる形に収めるかについては、見方の別れるところと推測されるも、サンダカン墓地に関しては、筆者は、『日・マ両国共有歴史文化財』とも言うべき視点と保全措置が必要であると思ってきている次第である。

バヤン・ブディマン物語
―興味深いマレー語圏の翻訳・読み物―

（二〇一九年八月）

はじめに

マレー語圏で広く親しまれているペルシャ語からの翻訳・読み物に『バヤン・ブディマン物語』（『バヤン・ブディマン』とは『賢明な鸚鵡』の意）というのがあるが、筆者は、最近になって、本書には、宮武正道訳『バヤン・ブディマン物語』（生活社刊、昭和一七年、本書の表紙ご参照）というマレー語からの邦訳があることを、偶然に知った次第である。

この点、宮武正道氏のバヤン・ブディマン物語の邦訳の刊行が、今から七七年も前であることには感銘すら覚えるが、同時に、宮武正道氏の邦訳が、我が国へのマレー語圏の文学紹介の先駆的な業績であることにも、改めて気づかされるところである。

本稿は、宮武正道氏による翻訳を基礎とし、バヤン・ブディマン物語の概要を紹介すると共に、流布に至る経緯と背景など、参考になる諸点を考察したものである。

なお、本稿が『マレー語圏』という語葉を用いているのは、バヤン・ブディマン物語の翻訳が流布し始めた時期には、マレー語は、今日の如くマレーシア語とインドネシア語のように定型化・分化していなかったとの事情による。

バヤン・ブディマン物語の概要

バヤン・ブディマン物語は、題名のとおり、鸚鵡が二四の独立した話を毎夜に一つずつ物語る形式をとっているが、斯かる形式からは、『千夜一夜物語』（所謂、『アラビアン・ナイト』）や『デカメロン』（『十日物語』）に類似しているが、内容としての特徴は、勧善懲悪型のイスラム教の道徳律が読み取れることである。

バヤン・ブディマン物語は『慈悲深き神の御名に於て、尊き神の助けをば乞ひ奉る。これは、語り部によりてペルシャ語より国語に写されたるものなり』との叙述で始まっている。物語の粗筋は、夫が長期の航海に出掛けている間、不義のために毎夕外泊に傾きそうになるその妻を、養われている鸚鵡が毎回引き留めて長々と異なる興味深い物語りをし、妻の方も、毎回鸚鵡の物語りを聴くのに夢中になっている内に夜がふけて、結局、無事ことなきを得て、妻は夫の帰宅を迎えるという構成になっている。

因に、物語は、第一話の『商人の妻に毛を抜かれた鸚鵡の話』で鸚鵡にはアラーの神の力が宿ることを暗示し、以下、例えば、第三話が『嫉妬深い夫と結婚した女の話』、第七話が『羊の言に従ったヒンドスタン王の話』、第一四話が『キラン・シャー王と王子の話』、第一七話が『夫が自分の寿命の半分を妻に譲った話』などになっている。

バヤン・ブディマン物語とマレー語訳の完成

バヤン・ブディマン物語の末尾には、『以上が、カディ・ハサンにより回教暦七七三年（注・西暦一三二九年）の年に物語れたバヤン・ブディマン物語の内容である』と、物語の由来を示した締め括りの記述のあと、『回教暦一二六九年（注・西暦一八五三年）三月二五日金曜日八時に筆写を終わる』と記されている。

前述の記述で読み取れることは、ペルシャ語による原典が一四世紀前半のものであること、また、もう一つは、ペルシャ語からマレー語に翻訳されたのが一八五三年であることとである。因に、『筆写を終わる』という表現が、マレー語への翻訳を意味することは、既出の如く、冒頭に、『語り部によりて、ペルシャ語より国語に写されたものなり』とあることに照らせば、明らかである。

この点、宮武正道氏は、バヤン・ブディマン物語のマレー語のテキストとしては、蘭領東インド（注・今日のインドネシア）政庁の出版局であるバライ・ブスタカが、バライ・ブスタカ業書として一九三四年に刊行した新しいマレー語のバヤン・ブディマン物語（Hikajat Bajan Boediman）を用いたと、注釈を付している。因に、前述の『新しいマレー語』とは、従来のアラビア語文字系のジャウィ文字表記から（今日のような）ローマ字表記になったマレー語を意味すると理解される。

バヤン・ブディマン物語と歴史的経緯

バヤン・プディマン物語の概要は既述のとおりであるが、マレー語圏において、バヤン・ブディマン物語の翻訳書が流布に至る歴史的な経緯を整理すると、次のような事情が読み取れる。

① マレー語圏のバヤン・ブディマン物語は、既述のように、ペルシャ語の原書によっているが、バヤン・ブディマン物語の根源を遡ると、『鸚鵡の語った七〇話』として知られている梵語（注・インド古代の上流社会の言語）文学の『シュカサプタティ』（Sjoek-saptati）の内容が取捨選択されたものが、ペルシャ語の原典になっている。因に、前述のペルシャ語の原書は、一三二九年、ナフシャビ（Nachshabi）という名の高僧が、『シュカサプタティ』をツティ・ナメ（Toeti nameh）という題名を付し、ペルシャ語に翻訳したものとされている。

② 注目したいのは、梵語の『シュカサプタティ』は、ペルシャ語の他にも、当時の有力言語であったトルコ語、ヒンドゥ語やアラビア語にも翻訳されていることである。斯かる状況の下、マレー語圏においても、ペルシャ語以外の原書に基づき、セラウィシュ島のマッカサル語やブキス語とジャワ島のジャワ語などに翻訳されたバヤン・ブディマン物語も流布している。今日のマレー語圏のバヤン・ブディマン物語には、物語りの話題の数や内容に幾分の相違があるのは、斯かる事情によるものと見られる。

結びに代えて

私見であるが、筆者がバヤン・ブディマン物語に味わいの深さを感じるのは、鸚鵡が人間の『色即是空』の心境には至らない煩悩の深さと迷い、即ち、古今東西の人間の本性の奥底について、諧謔的なタッチで物語っていることである。

この点、バヤン・ブディマン物語がマレー語圏で広く流布されるようになった背景としては、物語には、住民の帰依するイスラム教の道徳律が鸚鵡を介して分かり易く示されていることと、当時の事情として、マレー語圏では、島嶼・種族型の社会を脱し、民族社会の形成に向う機運と域外文化への関心とが重なっていたことがあったと思われる。

第六章　マレーシアと近隣諸国

陸路関係の進むマレーシアとタイ

—国境周辺関係の推移と現況—

（二〇一一年七月）

マレーシアの国境問題と対応の成熟

マレーシアは半島部の北面はタイ、南面はシンガポール、また、ボルネオ島ではブルネイとインドネシアの国土と、それぞれに陸続きで国境を接している。近年、マレーシアでは国境問題が殆ど表面化していないが、この背景には、マレーシア自体と隣接の国々が、お互いに紛争抑制への努力を払っていることと、もう一つには、近隣諸国のＡＳＥＡＮの枠組みを意識した相互の連帯意識の深化の故であると思われる。

マレーシア・タイ国境周辺関係の推移

この点、近年のマレーシアの国境関係の動静で注目されるのは（意外感がある方がおられるかも知れないが）、タイとの陸路関係の顕著な進展である。

筆者は、一九六〇年代から最近に至る間、タイの半島南部とマレーシアの北部諸州との国境周辺地域を何回か訪れているが、本項では、筆者の現地での過去の体験にも照らしつつ、両国国境周辺の状況の歴史的な推移及びヒトとモノの交流の活性化の現況を、簡潔に記してみたい。

今では誰もが馴染みのマレー半島縦断列車の所謂『ＡＳＡ特急』は、その名称の由来の通り、ＡＳＡの発足した一九六一年に始まった事業であるが、六七年に新たに発足したＡＳＥＡＮの正に先駆的な協力事業に位置付けられるものであった。

かくして、タイとマレーシア（マラヤ連邦）の国境関係は順調に滑り出したが、一九六〇年代後半になると、「ベトナム戦争」の影と両国それぞれの内政事情が連動し、国境周辺地域では緊張関係が続くことになった。ASEANの友好協力関係の枠組みとは別次元の問題が浮上してきたからである。

即ち、タイ側の事情としては、所謂『南部四県』の特殊事情があった。所謂『南部四県』とは、マレーシアとの国境に近いヤラー、ナラーチワート、バッターニーとサトゥーンの四県であるが、タイの各県では仏教徒が九〇数％を占めている中で、この四県ではムスリム人口が平均七〇～九〇％を占めている事情を指している。

この南部四県は、仏教国タイの中では文化的に異質な社会であること及び経済社会開発の遅れに所以した低所得層が多い事情とが複合し、地域住民の間には、長年の伝統的な反中央政府の感情が鬱積していた地域であった。

ベトナム戦争が激化しインドシナ地域の不安定性が高まると、政府の掌握が手薄になった南部タイでは、外部勢力とも呼応する分離独立運動や反政府ゲリラ活動が頻発したが、ベトナム戦争の終結後も、大小規模のテロ事件は断続的に続いていた。

他方、マレーシア側の事情としては、マラヤ連邦時代を含み、国内の反政府ゲリラ活動グループ（陳平マラヤ共産党書記長の集団など）とタイの反政府ゲリラ活動諸派との連帯が最も懸念されていた。マレーシア政府は一九六三年に締結したタイ・マレーシア防共国境協定の下で、継続追跡権を含む国境周辺での掃討作戦は一九七〇年代の中頃まで散発的に続いていた。

なお、この間、マレーシア政府としては、タイ南部のムスリム住民の分離独立運動については、タイの内政問題であるとの立場から一切関与しない方針を貫いていた。

タイ南部の社会情勢に明らかな変化が生じるようになったのは、一九八〇年代末頃からである。即ち、タイ政府のムスリム住民に対する融和政策と地域の経済振興策の効果とが相俟って、南部地域の治安は次第に回復し、また、地域の経済は急速に活性化が見られるようになったことである（因に、タイの天然ゴムの生産高及びツナ缶詰の輸出額が、それぞれ世界第一位になったのは一九九五年であるが、両者の主な生産地は南部地域である)。

マレーシア・タイ陸路交通の活発化と地域の活性化

タイ側の内政上の問題が解決に向かう中で、経済発展力を備えたタイとマレーシアの両国の間で、一九九〇年末頃から陸路による住民の往来と物流を活性化しようとする動きが生まれたのは、必然的な現象であった。

現今、誰しも気づくことは、タイ北部のチェンマイ周辺で生産された果物や野菜が低温車でマレーシアとシンガポールに陸路で輸送されるようになったことや、ハジャイ等にはマレーシアの製品が目立つようになったこと、また、週末には、観光と買い物を兼ねたマレーシアのナンバーの多くの乗用車が見られるようになったことなどがある。

また、マレーシアでは、タイ南部との道路接続地点であるペルリス州のパダン・ブサール周辺やケランタン州のランタウ・パンジャン周辺地域を初めとし、通過客の往来と物流の活発化の波及効果が北部諸州の各所に見られるようになっている。

現状では、両国の国境往来には、国際テロリストの情報共有体制や出入国管理などの技術的な課題もあるが、陸路交通の活発化が趨勢になりつつあることだけは確かである。

我が国の協力とテメンゴール水力発電所計画

マレーシア北部の国境周辺に位置するテメンゴール水力発電所は、我が国ODA供与対象案件(円借款)として、本邦建設企業が一九七〇年代前半に完成させたプロジェクトである。

このプロジェクトの工事は、政府治安部隊とゲリラ活動グループとがダム工事現場の周辺で度々交戦し、邦人作業員は生命の危険を覚えるという状況の中において遂行されたものであるが、工事は契約期間内に完成された

という点と併せ、特記しておきたい。

―余滴―

南タイ四県地域の道路交通標識などは、地域住民のエスニック構成の特徴を反映し、国語のタイ語とジャウィ文字（アラビア語系の文字）によるマレー語の二つの言語で表記されている。

ジャウィ文字はマレーシアでは宗教施設などでは使われているものの、ジャウィ文字が日常的に使われている南タイ地域は、今日では、ジャウィ文字に精通していないマレーシアからの旅行者にとっては、マレー語文字文化の再発見の旅にもなっているようである。

マレーシアとブルネイの隣国関係
―東マレーシア地域との視点―

（二〇一一年一〇月）


東南アジア地域に精通した方でも、マレーシアとブルネイ（ブルネイ・ダルサラーム）の国境周辺の地理・地勢には、漠然とした知識の方も多いように推測する次第である。

本稿では、マレーシア事情の理解の一環として、マレーシアとブルネイの両国関係について、主として、歴史と地理・地勢の視点から考察してみたい。

歴史的視点

ボルネオ島の北岸・北東岸に位置する今日の東マレーシア地域とブルネイの領域的な成り立ちは、先行的な史実を省略すれば、英国政府が一八八八年九月一七日にブルネイのサルタンと英国保護領の取り決めを行い、同時に、同日、英国北ボルネオ特許会社経営下の北ボルネオ（今日のサバ州）及び英国系『白人王』のサラワク王国（今日のサラワク州）も英国保護領とする措置をとったことに始まっている。

翻って、ボルネオ島の海岸線一帯は一五世紀頃からブルネイのサルタンの勢力圏に置かれていた。しかし、一九世紀中頃には、ブルネイのサルタンの実効的支配領域は、英国系企業による領土の長期租借（北ボルネオ）と英国系『白人王』のサラワク王国の成立により急激に縮小しつつあった。

一八八五年前後には、サラワク王国が北ボルネオによる西方領域への進出に対抗し、ブルネイ領土のトルサン河とリンバン河の間及びリンバン河とバラム河との間までを占拠した結果、ブルネイは領土的存立すら危ぶまれる事態に至っていた。

既述の通り、英国政府は一八八八年にブルネイ、北ボルネオとサラワク王国を同時に英国保護領にしたが、サラワク王国によるブルネイ領土の侵食は一八九〇年まで続いている。以降の英国保護領下のサラワク王国とブルネイの領土境界線は一八九〇年時点の決着（ブルネイ国土の東西分離）が基礎になると共に、今日に至っている。

地理地勢と交通の視点

マレーシア・サラワク州とブルネイの国境周辺には、険峻な山脈地帯及びトルサン、リンバンとバラムの三つの河と無数の支流や湿地帯が横たわっている。この両国国境周辺の地理・地勢がサラワク州とブルネイとの間の陸上交通を大きく制約する要因になっている。

今日、サラワク州とブルネイを結ぶ幹線道路は一本だけであるが、この幹線道路は、クチンを起点としビンツル、ミリを経由するサラワク側の国道が、両国国境のバラム岬地点でブルネイの国道と接続している。なお、ブルネイの国道は、セリアとタトンを経由、首都バンダル・スリー・ブガワンから東端のムアラ岬まで海岸線沿いに延びている。

サラワク州リンバン区とブルネイ国土の出入国ポイントは一一カ所ある。出入国ポイントと接続するリンバン区の道路の舗装状況は区間によって差異があるが、雨期には交通が困難になる箇所が多い。

空路は、サラワク州及びサバ州の州都とバンダル・スリー・ブンガワンとの間に定期便路線がある。なお、サラワク州内にはリンバンに空港があり、クチンとの間に定期便が運行されているが、ブルネイ住民の利用状況は不詳である。

海上交通は、ラブアン島とバンダル・スリー・ブンガワンとの間に定期客船が運行されている他、ブルネイとサラワク州の沿岸沿いの港には定期の貨客船が運行されている。

なお、参考までに記せば、サバ州西部とリンバン区ラワス県の境界一帯は険峻な山脈と深い湿地になっており、両者間を接続する通行可能な道路はない。

東マレーシア地域とブルネイとの交流概況

①投資

マレーシア側州政府の統計によれば、ブルネイからのサラワク州とサバ州への直接投資は、二〇〇七年はなく、〇八年と〇九年においても、サラワク州に対し小規模の直接投資が行われている程度である。

但し、ブルネイの膨大な金融資産は、資金運用会社（コンサルタント）を通じ多様な形態で運用が行われているので、ブルネイのサラワク州とサバ州に対する信用供与の全体像については、別途の考察が必要である。

②貿易

マレーシア側の統計によれば、サラワク州及びサバ州とブルネイの輸出入関係は、〇七年―〇九年を通じ両州の貿易総額に占める割合は僅か一％である。但し、この統計には、村落住民レベルの国境取引は含まれていないと推定される。

③入国者数

サラワク州へのブルネイ国籍者の入国者数は〇七年が一四七万五千人、〇八年が一四一万四千人である。また、サバ州への入国者数は〇七年が七万九八六一人、〇八年が六万五五八八人である。

サラワク州への外国国籍者の入国者総数は〇七年が二八九万九千人、〇八年が二八六万二千人であるので、ブルネイ国籍者がサラワク州への外国国籍者の入国者数の五割を占めているが、この数字には、リンバン区域を通

過するブルネイ住民が含まれている。

マレーシアとブルネイの外交関係

マレーシアとブルネイの外交関係は善隣関係を機軸とし、ASEAN加盟国とEAGA—BIMP（東ASEANの成長の三角地帯）などの枠組みの下で円滑な関係にあるが、善隣関係の重要な接点になっているのは、次の二つである。

その一つは、ブルネイの北面の南シナ海に面する沖合全面がブルネイの管轄権になっていることである。このマレーシア・ブルネイ両国の合意が石油・天然ガスの油層開発を巡る紛争を未然に防いでいる。

他の一つは、ブルネイ住民のサラワク州リンバン区内を跨ぐ東西間の交通には、両国の合意に基づき簡便な出入国措置が実施されており、ブルネイ住民の東西地区間の往来と物資の輸送には現実に支障がないことである。

なお、参考までに記せば、ブルネイはサラワク州リンバン区の東西分離地域の領土帰属権は『未解決』との立場であるが、マレーシアとブルネイの両国は相互に抑制的立場を維持してきているので、紛争は表面化していない。

サバ州隣接国地域との関係の現況
―ミンダナオ島、東カリマンタン州、セラウェシ島―

（二〇一二年一月）

過去二回の記事では、国境を視座に置いて半島マレーシアとタイ南部及びサラワク州とブルネイとの近隣関係を各々主題としたが、本項も同様な近隣関係の視点に立ち、サバ州と、フィリピンのミンダナオ島及びインドネシアの東カリマンタン州とセラウェシ島との関係の現況を考察の対象としている。

我が国では情報の最も少ない地域

本項の対象とするサバ州と隣接国地域との関係の現況については、我が国のマスコミも殆ど報道することがないというのが実情である。その主な理由としては、この地域の関係の実態が、我が国の実体経済に直接には影響が少ないことの他、この地域での取材が難しいこともあるようである。逆に言えば、東南アジア諸国地域では、情報の最も少ない地域でもある。

しかし、この地域については、東南アジア地域全体やマレーシアを理解す上での重要な視点が二つある。

一つは、一九八〇年代までは協力関係が殆どなかったこれらの地域が、政府間の『東ASEAN成長の三角地滞』構想（EAGA―BIMP・一九九五年発足、事務局はコタキナバル）の下で実体的な関係が進捗し、ASEAN全体の安定と発展の軸の一つになっていること、もう一つは、国土東端のサバ州がマレーシアの治安と安全保障の上において、地政学的に重要な役割を担っている事実である。

サバ州とミンダナオ島との関係

英領北ボルネオ（今日のサバ州）とフィリピン群島の分界（国境）は、一八九八年の米西戦争の結果、フィリピン群島の施政権者になった米国がスペインの統治地域を、そのままに継承した時点で事実上確定している。なお、一九〇八年、米国はサンダカン沖合九〇ｋｍに位置する二つの島を英領北ボルネオ特許会社に委譲しているが、一九三〇年の英・米両国間の国境協定では両島は再びフィリピン群島に帰属している。

サバ州とフィリピンの間のスールー海はスールー群島を初め無数の島嶼がある。サバ州の北東部沿岸にはマレーシア領の島嶼もあるが、多くの島嶼はフィリピン領である。

スールー海海域のかかる地勢的特徴がフィリピンからの密入国や密貿易を可能にしているが、マレーシア政府当局は厳しい監視と取り締まりを行なっており、一九九五年以降はＥＡＧＡ―ＢＩＭＰ構想の下で官民一体の具体的事業も着実に進捗している。

ＥＡＧＡ―ＢＩＭＰの成果としては、サンダカンとミンダナオ島のサンボアンガとの間の定期船の就航及びミンダナオ島のダバオとの間の定期空路の開設があるが、サバ州側との合弁事業としては、ミンダナオ島におけるマグロ漁業、マグロ缶詰工場、イエロー・ツナ養殖とサマール島観光ホテル事業などがある。

なお、サバ州にとっては人口の多いミンダナオ島は貿易相手としての潜在性に富むが、現段階では相互の補完商品に乏しいために活性化には至っていない。

サバ州と東カリマンタン州との関係

サバ州の南西部とインドネシアの東カリマンタン州とは陸続きに国境線を接している。現在の国境線は一九一五年に英国・オランダ両国政府が合意した国境協定に基づいているが、国境協定はシブコ河とスルドン河との間の山脈を分界とし規定している他、セパティック島は北半分をオランダ領、南半分を英領と定めている。

国境周辺は山脈が深く険峻であるので、陸土国境を跨ぐ往来はできない。

EAGA―BIMP構想に従い、サバ州タワウと東カリマンタン州のタラカンとの間に定期客船と定期空路が開設されているが、また、サバ州側との合弁事業としては、オイルパームのプランテーション、イエロー・ツナ養殖、通信機製造などがある。

なお、東カリマンタン州からは木材産業の拠点都市であるタワウへの丸太材の密輸（筏曳航）が半ば常態化している。サバ州の木材資源の枯渇と余裕を持つ製材能力、他方、東カリマンタン州の製材能力の不足（インドネシアは丸太材の輸出禁止）とか複合した結果であるので、密輸を阻止することは難しいと見る向きが多い。

サバ州とセラウェシ島との関係

サバ州南端とインドネシアのセラウェシ島（セレベス島）の北岸とは、セラウェシ海を対峙し距離的には離れているが、両国間には中小のいくつかの島かある。セラウェシ島からサバ州南西岸へは小船による島伝いの往来も可能とされている。

EAGA―BIMP械想の下で、タワウとセラウェシ島のマカッサル（ウジュンパンダン）との間には定期空路か開設されている他、サバ州との合弁事業としては、セラウェシ島での漁業分野の協力関係か進展している。

サバ州の非合法移民問題

一九九〇年代後半以降のサバ州の内政の最大課題の一つは、ミンダナオ島、東カリマンタン州とセラウェシ島からの非合法移民への対応であった。非合法移民の問題が浮上した直接の契機は、サバ州の経済・財政の基幹であった木材産業か九〇年代後半か衰退し始めたことと同時に、住民の失業率が八～九％と高水準に達したことがあった。

一九九五年のサバ州の人口二四〇万人のうち、外国人労働者は七五万人、その殆どがミンダナオ島、東カリマンタン州とセラウェシ島からの非合法移民であったが、経済成長期のサバ州の産業界が低廉な労働力を必要としていたこと、同時に、流出地域側が経済停滞のため自国民の密航を黙認していたとの事情が重なっていた。

一九九七年、サバ州政府は非合法移民についての『正常化計画』に着手しているが、非合法移民に対して強制的に登録を実施したあと、安定的な職業に就いている者と就業していない者を区別し、後者には流出国政府の協力を得て出国を促す措置である。二〇一〇年現在、『正常化計画』の目的は概ね達成されたとされている。

領土帰属問題

参考までに記せば、フィリピン政府は一九六三年八月、北ボルネオ（サバ州）の帰属問題で強硬な反応を示したことがあるが、インドネシア政府も一九九〇年代にサバ州南端沖合のシバダン島とマブール島の領土権を主張したことがある。

『アセアン標準時』の構想と課題
―一〇億人の標準時間の共有―

（二〇一六年一月）

はじめに

昨年来、アセアン（ＡＳＥＡＮ）加盟国の間では、『アセアン標準時』（ＡＣＴ）の実施が、アセアン経済統合の深化への重要なツールであるとの認識が高まっている。

現時点では、アセアン標準時が実際に採用に至るには紆余曲折が予想されるが、仮にアセアン標準時が実施に至れば、アセアン域内の経済活動や社会・文化の各分野の活動に大きく資すると共に、連帯意識の高揚にも繋がるインパクトを含むと思われる。

アセアン標準時の実施は、我が国にとってもアセアン地域との関係の上で利便が生ずることは確かであるが、適切な留意を要する面も含まれているようにも思われる。

本稿は、前述の諸点を視座とし、アセアン標準時の構想の概要及び利便と課題について記したものである。近年のアセアン諸国の域内協力の動向を知る上での参考になることがあれば幸いである。

現行のアジア地域各国の標準時

先ず、アセアン一〇カ国の現行の標準時を確認しておくこととするが（歴史的背景については、既述の「我が国とマレーシアの時差」をご参照）、マレーシア、シンガポール、ブルネイとフィリピンの四カ国がＧＭＴ＋八時間（ＧＭＴはグリニッチ標準時）、タイ、ラオス、カンボジアとベトナムの四カ国が＋七時間、ミャンマーが

+六時間三〇分、インドネシアが+七~九時間(四つの標準時間が存在)となっている。従って、現在のアセアン地域の標準時は最大二時間三〇分の差があることになる。因に、中国、香港、マカオと台湾は+八時間、北朝鮮は+八・五時間(昨年八月一五日に従来の+九時間を変更)、日本と韓国は+九時間である。

アセアン標準時の目的と効果

上述のアセアン標準時の実施の目的は、アセアン加盟国間の異なる標準時が域内の金融取引やヒトとモノの流れを阻害している原因の一つであると認識し、アセアン加盟国域内を一つの標準時にすることによる効果と利便を期待したものである。

仮にアセアン標準時が実施された場合、その効果と利便は、域内の経済活動の分野だけではなく、社会・文化の各分野の交流、例えば、域内の旅行などにも及ぶと見られるが、期待される最大の効果と利便としては、アセアン域内の金融取引、例えば、銀行取引と株式市場の上場時間や決済時間の同一時間化が可能になることが挙げられる。

アセアン標準時の構想と現在に至る経緯

顧みて、アセアン標準時の構想が最初にテーブルに上がったのは、一九九五年のアセアン高級事務レベル会議であった。一〇年後の二〇〇四年には『アセアン標準時の実施を検討する』との合意が見られるに至っていたが、アセアン標準時の構想は、実際には以降のアセアンの会議では立ち消えの状況になっていた。

この点、アセアン標準時の論議は、昨年一月二八日にコタキナバルで開催されたアセアン外相会合において再び復活したあと、クアラルンプールで四月二六—二七日に開催された第二六回アセアン首脳会議では正式議題になるという展開を見せている。

アセアン標準時の構想がアセアン首脳会議の正式議題にまで一挙に至った背景としては、アセアン標準時に一貫して積極的なマレーシアが議長国であったことと、もう一つには、アセアン経済共同体（ＡＥＣ）の発足を間近とした雰囲気の中、アセアン標準時の実施には、加盟国の間では一定の理解が高まっていたことが挙げられている。

第二六回アセアン首脳会議の動静

上述のアセアン首脳会議の論議では、アセアン標準時をＧＭＴ＋八とすること自体には特段の異論はなかった模様なので、アセアン標準時がＧＭＴ＋八になることは、インドネシアの肯定的姿勢を含めて概ね了解が成立したものと理解されている。

しかし、同会議では、ミャンマーがアセアン標準時の実施には消極的な姿勢を表明したことや、他の加盟国からの意見も交錯したので、アセアン標準時の実施の結論は先送りされる結果になっている。

二〇億人による標準時の共有

仮に、アセアン標準時がＧＭＴ＋八という形になると、中国及び香港、マカオと台湾の標準時と同一になるので、結果的には、世界人口の二八％に相当する二〇億人が共有する標準時の時間帯が形成されることになる。

アセアン標準時は、言うまでもなく、第一義的にはアセアン諸国が域内の経済活動の活性化と各分野の利便を目的とするものではあるが、アセアン諸国にとっては、同一時間帯になる中国及び香港、マカオと台湾の関係においても、経済と各分野の利便が期待されることになる。この点、中国及び香港、マカオと台湾から見ると、言わば、反射的な形で同一の標準時間帯を享有することになる。

アセアン標準時の実施に伴う課題

アセアン標準時の実施に伴う課題としては、現在の標準時からの変更を迫られる加盟国にとっては、時間システムの変更に要する行政機関や企業のコスト負担や国民への周知の徹底などが挙げられる。

更に、現在の標準時からの変更が必要な国の中でも、インドネシアとミャンマーは、アセアン標準時を実施すると太陽運行時との間に大幅な偏差（Deviation）が生じてくる地域があるので、国内の一定の地域には、ローカルタイムを実施するなどの措置も検討課題になると思われる。

アセアン標準時の構想と我が国との関係

仮に、アセアン標準時が実施されると、我が国にとっても、経済活動を初めとし、邦人の観光旅行などにも多大の便益を伴うことは確かであると思われる。

他面において、二〇億人の時間帯の共有は、我が国にとっては、国際競争力の相対的立ち位置や同一時間帯の住民の間の文化的親和性の増幅などの視点からは、『悩ましい』事柄のようにも思われる。

ナトゥナ諸島・近海を巡る紛争

―南シナ海領有権問題のもう一つの所在―

（二〇一七年五月）

はじめに

昨年一二月六日、インドネシア政府は、本年一月以降、インドネシアの地図には『南シナ海』の『ナトゥナ諸島』に接する排他的経済水域（ＥＥＺ）一帯を『北ナトゥナ海』という呼称を明記すると発表している。ナトゥナ諸島という島嶼名には馴染みの薄い方もおられるかと推測されるが（本稿略図をご参照）、前述のインドネシア政府の発表は、マレーシアの近海に位置するナトゥナ諸島と海域が、南シナ海領有権問題の『南沙諸島』以外のもう一つの係争地域であることを内外に示している点に注目したい次第である。

本稿は、斯かる事情に即し、ナトゥナ諸島の近海を巡る中国との紛争の現況と南シナ海領有権問題との関係を紹介するものであるが、併せて、近年のマレーシアの近海事情の参考になれば幸いである。

ナトゥナ諸島と海域の概要

ナトゥナ諸島（英語呼称ではナッツ諸島）はインドネシアのリアウ諸島州ナトゥナ県に属し、一五七の島嶼からなる。この島々の内の二七の島に住民が住んでいる。

ナトゥナ諸島の最大の島（本島）である『大ナトゥナ島』は、面積は約一七二〇平方キロ（淡路島の面積の約三倍に相当）、人口は約六・七万人、主な産業は漁業と農業である。観光分野は開発の途次にある。中心地区のラナイには空軍基地がある他、近年には相当規模の兵員が駐屯している。

また、ナトゥナ諸島の海域には屈指の漁場と各所に（天然）ガス田がある。特に、ガス田については、東ナトゥナ・ガス田は世界最大級の埋蔵量を有しているとされている。因に、インドネシア政府の試算資料によれば、ナトゥナ諸島の海域全体のガス埋蔵量は、インドネシア全体のガス埋蔵量の二八・六％に相当している。

中国漁船の密漁とインドネシアの対応

顧みて、ナトゥナ諸島の周辺のインドネシアのＥＥＺ内における中国漁船による密漁は、相当以前の時期から顕著になっていたが、インドネシア当局が中国の密漁中の漁船の拿捕に実際に踏み切るようになったのは、二〇一〇年からである。

だが、二〇一〇年と、次いで二〇一三年の際には、インドネシア当局が拿捕した中国漁船は中国側の武装艦船によって奪還されており、二〇一六年三月の際にも拿捕した中国漁船は奪還されるなど、インドネシア側の警備能力の弱体を露呈していた。

インドネシア当局は二〇一六年三月の事件が発生してからは、ナトゥナ諸島の海域に海軍の艦艇（コルベット）を配置するなどの警備能力の強化措置をとっていたが、同年六月一七日には、インドネシア海軍は密漁中の中国漁船一二隻の内の一隻に威嚇射撃の上で拿捕するという強硬措置に転じ、一定の警備能力を示すに至っている。

ナトゥナ諸島とインドネシアの主権

ナトゥナ諸島の主権はインドネシアが一九四九年一一月のハーグ協定でオランダからの独立に基づき継承し、爾来、ナトゥナ諸島はインドネシアの一貫した行政下に置かれている。

この点、インドネシア政府は、中国漁船の不法操業事件以降も、『中国との間には、ナトゥナ諸島のインドネシアの主権の帰属についての問題は何も存在しない』と、ナトゥナ諸島の主権についての立場を明確にしている。

他方、中国当局も『ナトゥナ諸島の主権はインドネシアに帰属し、中国がこれに対し異議を申したてたことはない』と釈明しているので、ナトゥナ諸島の主権帰属と中国漁船の不法操業との関係は、現況では一応切り離して見ることができる。

ナトゥナ諸島海域と所謂『九段線』との関係

既述の状況の下で注目されるのが、中国政府が、二〇一六年六月一七日の中国漁船の拿捕事件発生の直後、『ナトゥナ諸島の周辺海域は、中国の伝統的漁場であるだけではなく、中国とインドネシアの海洋権益が重なり合う場所である』と表明している点である。

懸念されるのは、前述の表明が中国の主張する所謂『九段線』の論理を想像させていることである。『九段線』については、二〇一六年七月一二日、ハーグの常設仲裁裁判所によって『法的根拠がなく、国際法に違反する』との判断が下されているものの、中国が判決に従う意志がないとことは明白な状況にある。

この点、所謂『九段線』の破線とインドネシアのEEZ内側のガス田東端と重なると推測される領域における中国の今後の動静が、状況判断の焦点になっている。

南シナ海領有権問題とアセアン諸国との関係

顧みて、南沙諸島の領有化を巡る中国の行動に対し、アセアン諸国の対応には中国寄りの諸国を含むばらつきがあるが、斯かる状況の中において、インドネシアは南沙諸島問題については、従来、中立、あるいは仲介役の立場を維持してきていた。

近年のナトゥナ諸島を巡る中国との紛争は、インドネシアも南シナ海領有権問題の直接の関係国になったことを意味しているが、アセアンの機軸国家であるインドネシアの立場の変化が、アセアン諸国による対応の一体化を促す可能性もあると見られる。

この点、我が国としては、インドネシアの立場を支援すると共に、アセアン諸国の南シナ海領有権問題への姿勢を強固に導くモメンタムにすることが必要と思われる。

我が国とナトゥナ諸島との関係

因に、我が国は、これまでにナトゥナ諸島・海域での開発には協力の実績はないが、現況に見るナトゥナ諸島・近海と南シナ海領有権問題との関係は、ナトゥナ諸島・海域の開発に我が国の協力を促しているように思われる。この点、ナトゥナ諸島の経済基盤の向上は、近隣のマレーシアとの共存関係の発展にも寄与することを考慮したい。

＊（後記）二〇一八年六月二五日、日本・インドネシア両国政府の間において、日本政府はナトゥナ諸島六島の水産振興に二五億円の無償資金協力をする旨の合意がなされている。

インドネシアの首都のカリマンタン島への移転計画
―一極集中の弊害の是正と国土の均衡的発展―

（二〇一九年一一月）

はじめに

去る八月二六日、インドネシアのジョコ大統領は、国会に提出した『年次教書』において、首都をジャカルタからカリマンタン島（マレーシアの呼称では『ボルネオ島』）に移転する計画案を発表しているが、首都移転という大事業の取り組みへの強い政治的意志が読み取れると共に、今後の具体化への進展が注目される。

この点、本稿は、首都の移転候補先がマレーシアのサバ州とサラワク州の位置するカリマンタン島（ボルネオ島）である点を視座に置き、首都移転計画に関わる幾つかの参考となる諸点を紹介するものである。

首都移転の内容

今回の首都の移転構想の表明は、一見突如のような印象を受ける向きがあるかも知れないが、実は、首都移転の議論自体はスカルノ大統領時代にも浮上している。従って、首都移転構想は新しい発想ではないが、首都移転候補地を明確にし、移転計画が正式に表明されたという点において、国民に対し革新的な印象と強い期待感を与えている。

前述の年次教書によれば、移転候補地は東カリマンタン州（概略地図ご参照）の北プナジャム・パスール県とクタイ・クルタヌガラ県を跨ぐ地域であるとし、この地域を選択した理由としては、州都サマリンダや州の中核都市バリックパパンに近い地震や津波といった自然の災害リスクが低く、インフラが整い、地理的にもインドネシアの中央にあることを挙げると共に、一八万ヘクタールの土地が利用可能であるとしている。

本件首都移転計画が国会の承認を得られれば、二〇二四年には移転を開始できるとし、移転費用としては、四六六兆ルピア（約三兆五三〇〇億円）との試算が示されている。

首都移転の決断の背景

人口三〇〇〇万人ともされるジャカルタは、深刻な交通渋滞による経済損失や大気汚染に加えて、従来から、地盤低下と度重なる洪水被害も問題視されてきているが、今回の首都移転の決断は、直接には、ジャカルタの一極集中を是正し、国土の均衡発展を目指す狙いがあると思われる。この点、首都移転の決断には、ジョコ大統領のジャカルタ首都特別州の知事時代の経験に基づく判断が強く反映しているようである。

また、副次的には、オランダの支配時代には、カリマンタンが外領として扱われてきた歴史的事情を払拭することや、今や興隆を遂げる国家が、国民自らの意志によって首都の新たな地を選択するという行動を通じ、国民の連帯認識の高揚を図るという面も含まれていると見られる。

東カリマンタン州の概況

カリマンタン（ボルネオ）は北部・東南部の約三分の一がマレーシア領（サバ州とサラワク州）、約三分の二がインドネシア領である。両国の国境地域は平坦な部分もあるが、国境の大部分はカプアス山脈と支脈の分水嶺によっている。

首都移転候補地である東カリマンタン州は、インドネシア領カリマンタンの五つの州の一つである。面積は一三万平方キロメートル（北海道の約二倍）、人口は約三五〇万人、この内、州都のサマリンダ市は八二万人、バリックパパン市は六二万人である。石油、天然ガス、石炭と木材などの天然資源が豊富な州であるが、ＧＤＰ

の内訳も鉱業が四六%、加工業が一九%の比率になっている。斯かる産業構造を背景とし、一人当たりの国民所得は、インドネシアでは突出したジャカルタ首都特別州の一万七五〇〇ドルに次ぎ、一万五〇〇〇ドル（二〇一七）と国内第二位の州である。

我が国と東カリマンタン州との関係

我が国と東カリマンタン州とは、我が国政府ベースの有償資金協力、無償資金協力と技術協力の供与や、貿易分野では、我が国は石油と天然ガスの輸入が第一位の関係にあることなどの他、我が国民間企業とNGOの熱帯雨林保護・研究活動など、密接な関係にある。我が国の在外公館施設はなく、在スラバヤ総領事館の管轄地域になっている。

なお、この地域では、太平洋戦争末期の一九四五年六月、バリックパパンに上陸した連合軍と日本軍の間で織烈な戦闘が行われている。約一万名の我が国軍人・軍属が戦死しているが、バリックパパンとサマリンダの周辺の六カ所に戦没者慰霊碑がある。

首都移転計画の進捗と地域状況の変化との関係

首都移転計画が進捗した場合、新首都が地域の国際関係に与える主なインパクトとしては、私見ではあるが、参考までに次の諸点を挙げておきたい。

即ち、①東カリマンタン州は地理的にＡＳＥＡＮ諸国の概ね中央に位置するが、斯かる地理的位置は、新首都の東南アジア地域における政治的な求心力を高める可能性を含んでいる。②首都移転に伴う国際線の路線の乗入れは、関心諸国間の激しい競争になることが予想される。③インドネシアの三つの国内時間帯の内、ジャカルタは西部時間帯（ＵＴＣ＋七）である。この点、新首都は中部時間帯（ＵＴＣ＋八）、また、東カリマンタン州は北朝鮮、韓国、中国及びＡＳＥＡＮ八カ国（タイとミャンマーを除く）と標準時を共有する利便性を有することになる。④新首都の開設は、カリマンタン島（ボルネオ島）内のマレーシア・インドネシア領土間の経済交流の活性化のモメンタムになる可能性がある。

余滴

顧みて、我が国でも少し以前には、『首都移転構想』が大地震などの発生への対応と行政機関の一極集中の是正という視点から浮上したことがあった。この首都移転計画は、結局、『首都機能移転』という概念と対象に変更されているが、結果としては、行政組織の極く一部が東京都の周辺地域に移転した他、遠隔地としては、文化庁の骨格を京都、また、消費者庁の機能の極く一部を徳島へ移転という形での幕引になりつつある。

この点、インドネシアの東カリマンタン州への首都移転計画についても、計画の実現に向けては紆余曲折があるものと推測されるが、首都移転という政治理念の高さと大規模な事業に取り組む意欲には、改めて関心と期待が寄せられる次第である。

第七章　マレーシアの社会と現代事情

マレーシアの発展の歴史的基軸
―『独立記念日』と『マレーシア記念日』―

（二〇一二年八月）

本稿では、八月三一日の『マレーシア独立記念日』と九月一六日の『マレーシア記念日』の歴史的な意義を回顧し、年々発展を遂げる今日のマレーシアの理解のための参考に供したい。

『マラヤ連邦』の独立と熟成した歩み

改めて記すのも恐縮ではあるが、八月三一日がマレーシアの『独立記念日』（ナショナル　デイ）に定められているのは、『マラヤ連邦』としての国家独立が一九五七年八月三一日であることに所以している。

翻って、マラヤ連邦としての独立の構想は、英国政府が第二次世界大戦が終結した直後の一九四五年一〇月一〇日に英国議会に報告した『マラヤ連合』に始まっているが、マラヤ連合の骨子は連合マレー州と非連合マレー州及びシンガポールを合体し独立国家を誕生させるとする内容であった。

前述のように、海峡マレー半島部における独立国家誕生の方向自体は、第二次世界大戦の終結の直後に曙光が見えていたのであるが、マラヤ連邦としての独立国家が実際に誕生するまでには一二年の年月を要している。

顧みて、独立達成に至る一二年の期間は宗主国の英国側の植民地体制の清算と海峡マレー半島部自体の内部事情の調整とに費やされているが（シンガポールの不参加決定も含む）、他方、結果的には、この間に独立国家成立に向けて得られたものも多かった。

即ち、マレー半島部の住民の間において多民族融和の理念が徐々に醸成されていったこと及び知識層が独立国家としての行政能力を経験的・段階的に蓄積したことである。

この点、独立を達成して以降のマラヤ連邦の安定した国家の運営振りには、正に、一二年間に蓄積された国民的基盤の熟成と行政経験が如実に反映している。

ラーマン首相の『マレーシア連邦構想』

マラヤ連邦独立に指導的役割を果たし初代の首相となったアブドラ・ラーマン氏が国際社会に向け画期的な政治的理念を表明したのは、マラヤ連邦独立四年後の一九六一年五月二六日にシンガポールの東南アジア外国人記者クラブで行った演説であった。

即ち、東南アジア地域の安定と発展のためには、マラヤ連邦と英国行政権下のシンガポール、北ボルネオ、サラワク、ブルネイが政治的、経済的に密接に協力していくことが必要である旨、この方法としては、これら地域が参加する『マレーシア連邦』の結成が望ましいとする内容である。

ラーマン首相の表明したマレーシア連邦構想には即時の反響があった。北ボルネオとサラワクの一部の有識者の間には消極論が見られたものの、大方の反応としては、それぞれの地域の独立達成の機会になるとの肯定的な見方が多く、また、英国においては、植民地体制の清算の上でも望ましい方法であると受け止められた。

マレーシア連邦成立への協議過程

翌一九六二年一月二一日には、マレーシア連邦構想についての意見集約の場としての非公式会合がシンガポールで開催されたが、同会合には全ての関係地域の代表が参加し、『マレーシア団結協議委員会』の設置と今後の詰めは同委員会を通じ協議していくことが合意されている。

マレーシア連邦構想には一部の有識者層の間で消極的な反応が示されていた北ボルネオとサラワクが、『マレーシア団結協議委員会』に参加したことはマレーシア連邦結成に向けての大きな前進になっている。

英国・マラヤ連邦の両国政府は、六二年一月に英蘭銀行のコボルト総裁を委員長とする五人委員会を設置し連邦構成に伴う諸点の検討を開始したが、同年八月一日に発表された『コボルト報告書』にはマレーシア連邦結成に前向きな結論が表明された。

コボルト報告書の結論に伴い英国・マラヤ連邦の両国政府の協議は加速し、マレーシア連邦を六三年八月三一日までに結成すること及びマレーシア連邦の結成に関する具体的な事項は『政府間委員会』で検討していくとの合意に達している。

六三年一月二三日に発表された『政府間委員会報告書』の内容には、北ボルネオの連邦結成後の地位についでは『特別保護規定』が明記されていたこと、また、サラワクの地位についでは『特別の留意』が払われることが勧告されていたので、北ボルネオ・サラヮクの両者からも異論なく了承されている（なお、北ボルネオの名称は『政府間委員会報告書』の段階で『サバ』に改められている）。

他方、マレーシア連邦参加には従来から明確な姿勢を示していなかったブルネイは、大詰めの七月上旬、マレーシア連邦構想は財政条項を満たしていないとの事由で連邦参加を取りやめる旨を発表している。

マレーシア連邦の発足と『マレーシア記念日』

かくして、マレーシア連邦構想にはマラヤ連邦及びサバ（北ボルネオ）、サラワクとシンガポールの参加が最終的に確定したことに伴い、一九六三年七月九日、ロンドンにおいてマレーシア連邦結成を約定する『マレーシア協定』が署名されるに至っている。

なお、マレーシア協定第二条には、従来の合意を反映し、『マラヤ連邦は一九六三年八月三一日を〝マレーシアデイ〟としマレーシア連邦が発足し得るよう法的手続きをとる』と規定されていたが、マレーシア連邦発足の実際の日付は予測されない事情により擦れが生じている。

即ち、マレーシア協定が署名されると、『大インドネシア』構想を掲げるインドネシアとサバ（北ボルネオ）の一部領土の帰属権を主張するフィリピンによる反発が生じたために沈静化の期間を要し、マレーシア連邦発足の国内手続きが完了したのは九月一六日になったことである。

『マレーシア記念日』が八月三一日ではなく九月一六日と定められているのは、斯かる事情によっている。

改めて記すならば、九月一六日は、サバ（北ボルネオ）とサラワクが英国の宗主権から平穏に独立を達成しマレーシアに加入した日であると共に、マラヤ連邦の主導によってマレーシアという国柄の誕生した日でもある。

マレーシアの叙勲制度と称号
―現代社会を理解する一つの鍵―

（二〇一四年一月）

マレーシアの社会と叙勲・称号の知識

マレーシア航空のマレーシア語の機内放送の出足は、耳当たりのよい、リズミカルな『「ダト ダト ダン ダティン ダティン」、「プアン プアン ダン トゥアン トゥアン」』の挨拶で始まっている。（因に、対応する英語放送の方は『レーディス アンド ジェントルメン』、また、日本語放送の方は『皆様』である）。

筆者個人の経験と感想で恐縮ではあるが、実は、筆者がコタ キナバル勤務の当初の時期に戸惑ったことの一つが、前述の機内放送のマレーシア語の二句相対の挨拶と関わっていたことである。

実例に即して述べれば、社交パーティなどの場において、初対面の相手に対し現地の慣習と礼儀に馴染む的確な『呼称』（二人称代名詞）についての寸時の迷いであった。

先ず、大方の場合には、相手が叙勲称号（例えば、『ダト』）を有するのかどうかという点の模索であったが、次は、称号の序列（例えば、『ダト』か、あるいは、『タン・スリ』か）を間違うと相手に対し著しく礼を失するという懸念であった。

同時に、外国人（日本人）の立ち位置としては、叙勲称号なしの呼称でも差し支えはないのではないか、という思いもよぎっていた。

マレーシアの叙勲制度や称号に関わる事柄への関心は、邦人の日・マ関係者の間でも個人の立ち位置によって濃淡があるのは当然である。また、実際にも、あまり意に介さない方が適切であると思われる場面も多いかと思われる。

だが、叙勲制度と称号についての知識自体は、マレーシアの社会を理解する上において参考になることは確かであろうし、筆者自身は、現代マレーシアの社会を理解する上の鍵の一つであると思っている次第である。

本稿は、前述の視点に立ち、マレーシアの叙勲制度と称号及び社会的意味について簡潔に記したものである。本稿の内容が現代マレーシアの社会を理解する上での参考になれば幸いである。

マレーシアの叙勲制度の起源と法制化

今日のマレーシアの叙勲制度は、マラッカ王国時代のスルタンが君臣関係の一部として功績のあった臣下に対し官位を授けた伝統と、英国保護領時代における各州の勲章や称号の慣習を基礎とし、一九五七年のマラヤ連邦独立を経て、一九六三年のマレーシア連邦発足の際に最終的に法制化されたものである。

今日、マレーシア国内で称号の標記綴りや王族の称号の名称が異なっている事例が見られるのは、英国保護領時代の各州における独自の慣習と呼称が反映したものである。

叙勲と称号に関わる通則

称号の種類と名称は前述の歴史的な経緯を反映し少し複雑に見えるが、大別すると、王族の出自に伴い相続する称号と叙勲制度に伴う称号の二つがある。

(イ) 王族の出自に伴い相続する称号は『ツゥンク』(Tengku、または、Tunku) である。我が国の『親王』と『内親王』に相当する。『Ungku』と『Engku』や『Raja』という称号もあるが、当該王族が特定の州の家系の出自であることを示している。

(ロ) 上記以外の身分称号は、連邦憲法及び州憲法と叙勲規定に基づき、連邦政府または州政府によって授与される。称号は其の際の勲章の授与に付随して与えられている。

称号は名誉的な性格のものである。即ち、称号は、政治的特権や財産的特権は伴わないのと、本人の一代限りである。

なお、男性が授勲した場合は夫人にも称号が与えられるが（離婚した場合は、女性の称号は消滅する）、女性が授勲した場合には、女性の当該称号はその夫には伴わない。

連邦政府の勲章と称号

連邦政府の叙勲は、毎年、国王の誕生日に行われる。連邦政府の勲章は王族への勲章二種、騎士勲章四系統一二種と戦士勲章四種である（この他、褒賞六種がある）。各勲章のうちの称号を伴うのは『騎士勲章系統』の上位六種である。

称号の区分は、（イ）最高護国騎士章と最高栄誉王冠章がトゥン（Tun）（夫人はToh Puan）、（ロ）護国騎士章と騎士王冠章がタン・スリ（Tan Sri）（夫人はPuan Sri）（ハ）功労騎士章がダトスリ（Dato Seri）またはダトゥ・スリ（Datuk Seri）（夫人はDatin Sri）と（ニ）忠誠騎士章がダト（Dato）またはダトゥ（Datuk）（夫人はDatin）である。

各区分の称号の定員は、最高護国騎士章と最高栄誉王冠章が各二五名、護国騎士章が七五名、騎士王冠章が四五〇名、功労騎士章が三〇〇名、忠誠騎士章が二〇〇名と定められているが、外国人は別枠になっている。

なお、『定員』とは、各区分の称号の授勲『存命者』の総数である。従って、毎年の称号叙勲者の数は各区分の総数の範囲内で決められるため一定していない。

州政府の勲章と称号

州政府の叙勲は、毎年、州のスルタンまたは州長の誕生日に授与されている。州政府による勲章の名称は州によって相違があるが、各種の勲章のうち『称号』を伴うのは、どの州も『ダト スリ』(Dato' Seri)(夫人はDatin Sri)及び『ダト』(Dato')(夫人はDatin)である。両区分の『定員』は州によって異なっている。各州とも外国人は別枠になっている。

なお、『ダトゥ スリ』(Datuk Seri)と『ダトゥ』(Datuk)は、州元首がスルタンではない州長のペナン、マラッカ、サラワクとサバの各州の称号標記である。

叙勲制度と称号の社会的な意味

マレーシアの叙勲制度の特徴は、伝統的スルタン王家の権威と多民族社会の調和を基礎とした国民の連帯感を象徴する役割を担っていることである。

叙勲制度の実際的な社会的インパクトは、叙勲に伴う称号と姓名とが社会的認識として不可分一体な形で日常的に使われていることであるが、従って、称号と称号の区分は公的な活動と個人の名誉の両面において重みを持つと共に、称号制度は国民の間の社会的アスピレーション(上昇志向)の動機になっている。

マレーシアのインド系住民の全体像

―停滞的社会と変化の趨勢―

（二〇一八年三月）

はじめに

我が国の日・マ両国関係者の間では、マレーシアのインド系住民の社会や文化についての関心は必ずしも高くないように推測されるが、この理由としては、インド系住民の人口比率が低い他（約八％）、社会的な存在感の希薄なことがあるように推測される。

実は、マレーシア国内においても、インド系住民を『目立たない存在』として見る傾向があったことが知られているが、近年、注目されるのは、マレーシア政府がインド系住民の生活水準の向上を国政の重要な政策課題の一つとして位置付けていることと、インド系住民自身の間にも、社会意識の顕著な変化を示す状況が見られていることである。

本稿は、マレーシアのインド系住民の停滞的社会の特徴と変化の様相を視座とし、今日のインド系住民の全体像を考察したものである。本稿の内容がマレーシアの社会事情を理解する上での一つの参考になれば幸いである。

インド系住民の社会と文化の特徴

顧みて、英国保護領時代のマレー半島へのインド大陸からの移民には二つの形態があったが、その一つは、英国系農園主とインド・タミル州出身の農民との間の労働契約方式に基づくゴム農園労働者としての集団移住、もう一つは、専門知識が高く、英語にも長じたインド北部のアーリア系住民の個人形態の移住であった。

この点、今日のマレーシアのインド系住民の社会の特徴は、前述の移住期の特徴が殆どそのままに維持されていることである。

即ち、今日のインド系住民の社会は、数において凌駕するタミル系住民の多くは半島部西南地域のゴム農園作業に従事し、概して低所得層に属しているが、少数派のアーリア系住民の多くは都市部に居住し、専門職（医師、弁護士、研究職など）に従事する者も少なくないことである。また、東マレーシア地域のインド系住民の人口比率が一％以下であることも、当時の事情をそのままに反映している。

斯かるインド系住民の社会的特徴は、同じく移民の子孫である華人系社会の今日の状況とを比較すれば、一層明らかであると思われる。

なお、インド系住民の信仰や言語についても、タミル系住民はタミル語とタミル地方の土着信仰（注・我が国の『カミ』の信仰の起源に類似）を維持し、他方、アーリア系住民の多くはヒンドゥー語または英語を維持すると共に、ヒンドゥー教徒の割合が高いことなど、移住期の状況と同様である。

エスニック集団としてのインド系住民

前述のとおり、タミル系住民とアーリア系住民を『インド系住民』という一つのエスニック集団として理解するには融合性が低いようにも見えるが、他方、両者の間には、インド大陸の風土に根差す一定の文化的・社会的親和性があることも知られている。

インド系住民の斯かるエスニシティ事情の中において、現実に、『インド系住民』というエスニック集団が社会的に広く認識されているのは、マラヤ連邦としての独立以来の国家的理念（政治的枠組み）に基づくところが大きいように思われる。

タミル系住民とゴム農園生活との関係

インド系住民の移住期の特徴が現在もそのままに維持されている最も端的な事例は、タミル系住民とゴム農園生活との関係である。

両者の関係には、タミル系住民の『家父長制』と『出自集団意識』を基礎とした家族秩序と村落構成が、ゴム農園作業の特質である早朝の連携作業に適しているとの有利な事情もあるが、他方、斯かるゴム農園生活の安住感と閉鎖性が、タミル住民の外界への関心を失わせてきているとの指摘もなされている。

なお、キャメロン・ハイランド一帯の茶畑（ティエステート）のタミル系住民の生活様式にも、上述のゴム農園と類似した関係が見られる。

インド系住民の生活水準と政府の数値目標

既述のインド系住民を巡る推移の下、近年注目されるのが、マレーシア政府が二〇一〇年に発表した『新経済モデル』等において、インド系住民の生活水準の向上を目指した『数値目標』が初めて掲げられたことであるが、具体的な内容は以降の諸計画で実施されている。

インド系住民の生活水準の向上が、国政の重要な課題の一つであるとの認識が示されたことは、マレーシアの政治において画期的な意義を有するものと言える。

インド系住民の意識の変化

政府の施策と同時に注目されるのが、近年、インド系住民の内部においても、生活水準と地位の向上を目指した意識の変化と共に、実践的な行動も見られていることである。

その一つの表れが、アーリア系の富裕層が長年の間独占してきたＭＩＣ（マレーシア・インド系住民会議）

の幹部ポストが、近年では、その大部分がタミル系に移行していることである。

この点は、インド系住民内部の政治意識の変化を示すと共に、ＭＩＣの動向はＢＮ全体の動静にも微妙な影響を与えている。

もう一つの表れは、近年、ヒンドゥー系住民の間には、所謂『カースト』意識は希薄化し、少なくとも表立った差別と規制が消滅していることである。ヒンドゥー系住民の斯かる意識の変化は、ヒンドゥー系住民の間だけではなく、インド系住民全体の連帯意識の深化に繋がる可能性を示唆している。

なお、クアラルンプールにおける二〇〇七年と〇八年のインド系住民の大規模な集会行動は、首都圏住民に衝撃的なインパクトを与えているが、結果は、従来のインド系住民を『目立たない存在』と評する見方を変える契機にもなっている。

成果に向けての視点

本稿に記したインド系住民の生活水準の向上については、既述の政府の施策とインド系住民の意識の変革とが相俟って、既に相当の成果が見られているが、今後の展望については、政府の掲げる『数値目標』は制度的な裏付けが脆弱なことと、インド系住民自身の間にも変革には強い壁が見られることなど、不確定な要素も含んでいる。

以上の状況の下、注目されるのは、インド系住民の生活向上を巡る結果は、マレーシアの建国理念である多民族国家の構築の行方と深く関わっていることである。

東海岸鉄道計画と運輸・交通の新動脈
―『陸の運河』と国際物流の視点―

（二〇一九年七月）

はじめに

マレーシア政府は、本年四月一二日、昨年五月から工事を中断していた『東海岸鉄道計画』（ＥＣＲＬ）の継続について、中国側と合意に達したと発表している。我が国のマスコミも本件発表を伝えてはいるが、本件事業には我が国企業が参画していないせいか、扱いは小さいようである。だが、注目したいのは、東海岸鉄道計画には、我が国にとっても留意を要するいくつかの重要な事柄を含んでいることである。

即ち、その一つは、東海岸鉄道計画は、既に中国企業の着手している東海岸のクアンタン港の大規模改修計画との連結を併せ、中国政府の志向する『一帯一路』構想が如実に反映した案件であることである。

他方において、東海岸鉄道計画は、半島部全体、特に、東海岸と中部の山岳地帯の交通の便と経済発展に与える直接の効果だけではなく、南シナ海とマラッカ海峡の港を結ぶ、言わば、『陸の運河』（Inland Bridge）として、現在の国際物流ルートにも変化をもたらす可能性を予測させることである。

本稿は、以上の視点に即し、東海岸鉄道計画の内容と関連インフラの現況を簡潔に紹介すると共に、東海岸鉄道計画の内外への効果と影響を考察したものである。

東海岸鉄道計画の合意と着手

顧みて、東海岸鉄道計画は、当初の段階では、KL・シンガポール間の『高速鉄道計画』(HSR計画)と同時的に建設が構想されていたものであるが、高速鉄道計画が詰めに時間を要した状況の下で、東海岸鉄道計画の建設着手が先行したとの経緯がある。

因みに、東海岸鉄道計画は、マラッカ海峡を臨むセランゴール州のクラン港からKLを経由して中部の山岳地帯を横断し、南シナ海を臨むクアンタンに出て、ここからは海岸線を北上し、タイ最南部との国境付近のクランタン州のトゥンパトに至る総延長距離六八八キロメートルを運行する路線の建設を予定している。

東海岸鉄道計画については、二〇一六年一一月にマレーシア鉄道管理公社と中国交通建設公団との間において、総工費八〇九億リンギ(約二兆一八〇〇億円)、この内、八五%は中国輸出入銀行からの借款(二〇年返済)とするなどの合意が成立し、二〇二四年の完工を目処とし、既に、工事の一部が始まっていたのである。

マハティール政権の発足と総工費の見直し交渉

だが、二〇一八年五月九日の総選挙の結果を受けてマハティール政権が発足すると、選挙公約に掲げた一つとして、前政権が決めていた大型プロジェクトの見直しが始まったが、この結果、高速鉄道計画は白紙撤回される一方、東海岸鉄道計画は工事の停止が決められている。

その後、東海岸鉄道計画については、マレーシア政府は中国側に内容の見直しを求める交渉を行っていたが、本年四月一二日、マレーシア政府は中国側と総工費について二一五億リンギ(約五八〇〇億円)の大幅な削減の合意に達した旨を発表し、東海岸鉄道計画が継続の運びになっている。(但し、前述の発表では、総工費の削減の結果と当初合意の内容の修正・変更との関係の詳細は明らかではない)。

東海岸鉄道計画と関連事業との関係

今般、東海岸鉄道計画が継続の運びとなった背景を見る上で参考になるのは、中国が主導する合弁事業の二つの大型プロジェクトが、東海岸鉄道が経由する東海岸のクアンタンにおいて既に稼働していることである。

大型プロジェクトとは、クアンタン港改修計画とクアンタン工業団地計画であるが、両計画が東海岸鉄道計画の開通を前提としたものであったので、東海岸鉄道計画の継続決定は、マレーシア・中国の両国にとっては必然的な結論であったと言える。

前述の視点に即し、両計画の現況を簡潔に紹介しておくと、（イ）クアンタン港改修計画は、マレーシア側が六〇％、中国企業が四〇％を出資する合弁会社のクアンタン・ポート・コンソーシアム（ＫＰＣ）が、二〇一五年四月から、大型船舶の停泊できる全長約二キロメートル、水深一八メートルの新埠頭を建設中である。また、（ロ）クアンタン工業団地計画は、マレーシア側五一％、中国国有企業グループ四九％出資の合弁企業が、クアンタン港近郊の約三〇〇〇エーカーの敷地にマレーシア・中国工業団地（ＭＣＫＩＰ）を造成し、既に、二〇一五年四月から、団地内では、鋼材の生産能力年間三〇〇万トンを有する工場が操業している。

東海岸鉄道計画と『陸の運河』の視点

東海岸鉄道が完成に至れば、半島部の交通の便や物流の活性化が期待されると共に、物流の時間短縮が予測されるが、同時に注目したいのは、東海岸鉄道が半島部東端のクアンタン港と西端のクラン港を結ぶ運輸・交通のインフラとして、南シナ海とインド洋を繋ぐ『陸の運河』としての機能を内在していることである。（この点が、正しく中国の『一帯一路』構想であることは言うまでもない）。

『陸の運河』の機能については、クラン・クアンタン両港での貨物の積み替えは、コンテナ設備の充実した今日では、殆ど障害はないとの状況にあること、更には、今後、東海岸鉄道と並行する既存の道路の整備、特に、現在、案件として浮上している『テメロー橋』(注・第二次円借款供事案)の大規模改修が行われれば、『陸の運河』としての輸送能力が更に高まる事情にあることも参考になる。

なお、我が国としても、前述の事情に留意したいのは、南シナ海とインド洋の間の物流が船舶の往来が過密、かつ、日数を要するマラッカ海峡を経由しなくても、相当規模の物流が、『陸の運河』を通して輸送できる時期の到来が示唆されていることである。

余滴

我が国政府の中国の『一帯一路』構想への立ち位置は、奥歯に物の挟まった感もあるが、この点、私見ではあるも、近年のマレーシアと中国との経済関係の状況に対し、我が国がマレーシアの大型インフラ事業に適切に協力するには、マレーシアを重要国の一つとした我が国としての明確な理念の構築が促されているように思われている次第である。

あとがき

私は東マレーシア地域を管轄するコタキナバル総領事を辞したあと、大学で東南アジア地域の研究に携わるようになったが、マレーシア国内の各地と周辺地域でのフィールド研究や文献調査を行うなかにおいて、マレーシアの社会事情や日・マ両国関係には、我が国では、これまでは見落とされていたと思われる興味深い事柄や、従来とは視点を変えて見る必要があると思われる事象が、多々あることに改めて気づくようになった。

この点、特に、東マレーシア地域では、在職中には深く知る機会に乏しかった戦前・戦中の邦人の開拓の貢献と辛苦の軌跡や、朽ちた墓石との新たな出会いには、深く感慨を覚えるものがあった。

私が公益社団法人日本マレーシア協会の会報に記事を執筆させて頂いたのも、私の斯かる研究を通じての出会いや感想を会報の読者と共有し、日・マ両国関係の理解に少しでも寄与したいとの私なりの思いによるものであった。

もっとも、毎回の会報記事の内容については、記事の内容が読者の関心に実際に沿っているのかどうかの不安もあったが、この点は、時折、未知の読者から頂く詳細な質問と懇切な感想を通して、私の会報記事の熱心な読者がおられることを知ることができたことが、執筆への確信と励みになっていた。

だが、最近ふと振り返ると、私の会報記事執筆もいつの間に一〇ヵ年も継続していることに気づき、一〇ヵ年を執筆の一つの区切りにすることも、時宜を得ているのではないかとの思いも生じていたところであった。

この点、思いかけずも、公益社団法人日本マレーシア協会の歩みを示す事業の一つとして、私の過去の会報記事を整理し、纏めて単行本の形で出版されることを知った次第である。本書刊行のご判断とご尽力を頂いた小川孝一理事長、森林高志理事と新井卓治専務理事には、ここ許、深く感謝申し上げる次第である。

また、毎回の会報記事の内容と表現には、私の責任において自由に執筆することにご寛容を頂いたことについても、改めて、感謝申し上げたい。

顧みて、本書の個々の記事内容は、我が国国内とマレーシアの公共施設での資料閲覧の便宜に接したことや、マレーシア各地の調査では、現地の方々による親切なご案内やご助言を頂いたこと、また、関係者からの聞き取りに際しても積極的なご理解とご協力が得られたことなどの賜物である。ご理解とご協力を頂いた全ての皆様に対し、この機会をお借りして厚くお礼を申し上げたい。

なお、本書をお読み頂いた方々が、マレーシア事情の奥行きの深さや我が国との深い縁など、今までは知らなかった事柄との出会いを通じ、マレーシア及び我が国との関係が身近く感じられるようになったとすれば、私にとっては、この上もない喜びである。

令和二年五月　　上東輝夫

著者紹介

・大阪外国語大学（現・大阪大学外国語学部）卒、カナダ・ノヴァ国際大学ＰｈＤ（政治学）。

・昭和三三年外務省に入省。在デンマーク三等書記官、国連人口活動基金事務局専門官、日本貿易振興会総務部主査、在タイ大使館参事官、在ラオス大使館参事官、総理府迎賓館運営課長、国立国会図書館支部外務省図書館長、コタキナバル総領事など歴任。外務省退官のあと、名古屋商科大学教授を経て、名古屋商科大学名誉教授。

・叙勲　サバ州勲三等、タイ王国勲三等、オランダ王国勲三等、瑞宝小綬章

・著書　学術論文　名古屋商科大学紀要（一九九九～二〇〇八年）に一〇数編発表

タイ王国―民族の歴史と外交　原書房　一九八一年

タイ社会を見る眼　原書房　一九八二年

タイ北部の山岳民族　バンコク日本人商工会議所　一九八七年

ラオスの歴史　同文館出版　一九九〇年

現代ラオス概説　同文館出版　一九九一年

東マレーシア概説　同文館出版　一九九八年

東マレーシアの歴史に映る日本人の光りと陰　新風社　二〇〇四年

（小説）時空の墓碑銘　宮日情報文化センター　二〇〇六年

ツルという女　ヤシの実ブックス　二〇〇九年

マレーシアを読み解く46題　知られざる我が国との縁

2020年6月1日　第1刷　発行

著　者　上東輝夫

編　集　新井卓治　大内優　高野愛

発行所　公益社団法人日本マレーシア協会

〒102－0093　東京都千代田区平河町1－1－1

Tel. 03-3263-0048

発売元　株式会社紀伊國屋書店

〒153－8504　東京都目黒区下目黒3－7－10

ホールセール部（営業）Tel. 03-6910-0519

印刷・製本　株式会社Cana

ISBN　978-4-87738-545-3 C0030

定価は外装に表示してあります。